Dans la même collection :

Deuxième impression : décembre 2022

© 2019 Alice Éditions, Bruxelles

info@alice-editions.be

www.alice-editions.be

ISBN : 978-2-87426-395-8

EAN 9782874263958

Dépot légal : D/2019/7641/24

Imprimé en Espagne par Novoprint.

Couverture et maquette intérieure : Camille Bourgois

Déposé au ministère de la Justice, Paris

(loi n° 49.956 du 16 juillet 1949 sur les publications destinées à la jeunesse).

Roman à 7 voix

On n'a rien vu venir

Table des matières

Préface

Cette histoire commence le soir des élections. Les habitants, qui ont choisi les hommes politiques qui vont les représenter, descendent dans la rue pour fêter la victoire. Leur victoire, croient-ils. Mais ils se trompent...

Et la vie de tout le monde va changer, pas uniquement celle des adultes.

Que feriez-vous si un de vos amis devait quitter le pays à cause de sa couleur de peau ? Que diriez-vous si vos parents choisissaient eux-mêmes les copains avec qui vous pouvez parler ? Que penseriez-vous si une discipline radicale était instaurée à l'école ? C'est de ça que parle

On n'a rien vu venir, *de ce qui peut arriver si l'on n'y prend garde. C'est pourquoi je considère que ce livre est important, et je vous encourage à le lire.*

« Mais nous, nous ne sommes pas en âge de voter », me direz-vous. Qu'importe. Chaque génération est en mesure de trouver sa place et de choisir son engagement. Et les conséquences des choix de vos parents, des adultes en général, vous concernent autant qu'eux.

Pendant la Seconde Guerre mondiale, j'ai eu la chance de m'échapper du camp de concentration où j'étais prisonnier. J'ai pris, à ce moment, la décision de profiter de la deuxième chance qui m'était offerte de vivre pour lutter pour ce qui me tenait à cœur : la justice sociale et le respect des droits humains... Je me suis engagé dans la Résistance et, après la guerre, j'ai participé à la rédaction de la Déclaration universelle des droits de l'homme. Mais j'étais déjà un adulte.

N'attendez pas de devenir des adultes ! Aujourd'hui, déjà, vous avez le pouvoir de dire non à ce qui ne vous semble pas juste, de vous indigner face à ce qui vous révolte, de faire preuve d'esprit critique vis-à-vis de ce que vous lisez, de ce que l'on vous donne à regarder à la télévision.

Vous avez un avis. Vous pouvez le partager, avec vos amis, vos parents, vos professeurs. Il est bien sûr souhaitable que les jeunes apprennent de l'expérience accumulée des vieux, mais les vieux ont aussi beaucoup à recevoir des jeunes.

Il n'est jamais trop tôt pour s'engager. Et ce beau roman est une des voies qui vous encourageront à résister et à persévérer.

Stéphane Hessel

Lundi 4 juin
Le grand soir

Mon père est comme un fou depuis ce matin. On dirait que c'est le soir de la Coupe du Monde et que son équipe fétiche est en finale.

— Assieds-toi, Stef, ça va commencer !

Un vrai lion en cage qui attend son steak. Je n'aurais jamais cru que des élections puissent le mettre dans un état pareil.

— Papa, je peux aller faire un tour ?

— Vas-y, mon grand, ta mère et moi on ne bouge pas, les résultats vont arriver dans un quart d'heure.

Je sors. Dans le quartier flotte une drôle d'ambiance. Depuis quelques semaines déjà, des affiches rouges et brunes ont envahi les murs : « PARTI DE LA LIBERTÉ ». C'est stylé, j'avoue. Je suis fier de mes parents. La liberté, c'est plutôt un truc cool. Par contre, moi, j'aurais choisi du vert, ou bien du bleu, pour les affiches.

Tout est silencieux. Pas de voitures, pas de voisins discutant sur le trottoir, rien. C'est le néant, un peu. Y a juste la lumière de la télé qui clignote derrière les fenêtres. Ça sent vraiment le grand soir.

— Hé ! Toto ! Qu'est-ce que tu fais là ?

Une voix s'échappe de la fenêtre d'en face. La voix de mon meilleur pote.

Le seul qui m'appelle Toto, c'est Walid. Ma mère déteste ça. Elle dit qu'on ne m'a pas donné un prénom de héros grec pour que ça devienne un surnom « à la noix ». Moi, je lui réponds que, ce qui est « à la noix », c'est de dire encore, au XXIe siècle, « à la noix ». Ça marche à chaque fois. Elle change de sujet direct.

Je crois que c'est pour ça que mes parents n'aiment pas Walid. Pour cette histoire de surnom. C'est vraiment hyper nul, comme raison. Mais Walid, il ne s'y fait pas, à Hector. Alors c'est Toto et basta. Du coup, moi, j'appelle Walid « Wawa ». Au début, c'était juste pour énerver ma mère. Ensuite, c'est devenu une habitude. Toto et Wawa dans un bateau. Personne ne tombe à l'eau.

— T'as vu, Wawa, il est trop bizarre, le quartier, ce soir…

— Tu m'étonnes. Mes parents sont comme des fous.

— Ouais, les miens aussi. Enfin, surtout mon père. On dirait… j'sais pas… un hamster dans sa roue, genre. Il court sans aller nulle part.

— Mon père à moi, il est super stressé. Je l'ai jamais vu comme ça. Tu vas où, au fait, Toto ?

— J'en sais rien, j'me balade. Les élections, tout ça, c'est pas mon truc. Je vois pas ce que ça change.

— C'est clair. Mais moi, j'peux pas sortir. Mes parents ne veulent pas. Ils disent que c'est trop risqué.

— Risqué ? Hé ! Ça va, faut pas exagérer non plus, va sûrement y avoir un peu la fête, mais j'vois pas où est le risque ! Remarque, si, on peut devenir sourd en passant trop près d'une corne de brume, j'avoue.

— Bon, faut que j'y aille, Toto, ma mère est dans tous ses états parce que je suis à la fenêtre. J'te jure, des fois, j'ai l'impression de vivre à l'asile.

— À demain, alors, au collège, comme d'hab' !

— Ouais, à demain. Bonne balade, mon pote.

« Risqué. » Ils sont bizarres, les parents de Walid. Les élections, c'est pas la guerre non plus.

Déjà qu'ils ne veulent jamais que Walid vienne chez moi. Si maintenant il n'a plus le droit de sortir, c'est abusé, franchement. Heureusement qu'on est dans la même classe, sinon, on ne se verrait jamais, Wawa et moi.

Un peu plus loin, une porte s'ouvre. Des gens traînent de grosses valises et les attachent sur le toit de leur voiture. Ils regardent à droite et à gauche comme s'ils avaient peur qu'on les surprenne. Au moment où je passe devant eux, ils s'arrêtent net. On dirait que quelqu'un les a mis sur pause. Seuls leurs yeux bougent pour me suivre. Ça me met mal à l'aise, alors je fais un petit signe de la main.

— Euh… salut… votre télé est cassée, ou quoi ?

D'accord, c'est pas super drôle. Mais ils me font flipper avec leur regard de bête traquée. Malheureusement, ma petite phrase ne produit aucun effet. Ils restent là, immobiles. Sans rien dire. Comme des animaux la nuit devant des phares. Je baisse les yeux et je continue à avancer. Finalement, ils finissent de fixer leurs valises et rentrent chez eux en claquant la porte. Vraiment bizarre, l'ambiance, dans le quartier.

Je tourne à gauche, quand, tout à coup, la rue

se remplit de cris de joie. Le bruit couvre la ville tout entière. Les portes s'ouvrent et des dizaines de personnes se précipitent dehors, avec des drapeaux rouges et bruns. Un bouchon de champagne me frôle la tête. Ils ont raison, les parents de Walid, c'est risqué de sortir le soir des élections !

Les voisins se prennent dans les bras et s'embrassent comme au Nouvel An. Juste derrière moi, j'entends démarrer la voiture avec les valises sur le toit. La porte arrière est à peine refermée qu'ils partent à fond la caisse. Comme s'ils avaient cambriolé une banque. Un grand type me soulève et me porte sur ses épaules. Il m'enveloppe dans son drapeau et marche en chantant. Hallucinant ! Je chante moi aussi, un peu n'importe quoi, j'essaie de suivre les paroles. Je cherche Walid dans la foule. Même si je sais qu'il n'a pas le droit de sortir. J'aurais adoré partager ça avec lui !

De plus en plus de drapeaux s'agitent aux fenêtres. Certains lancent des pétards. Le grand type me pose finalement et part rejoindre ses copains en me faisant un geste de la main. Je continue à chanter sur place puis je fais demi-tour pour rentrer chez moi. J'ai hâte de voir ce que ça donne, à la maison.

— Hé, psitt !

Je reconnais une fille du collège. Elle se planque derrière une poubelle. Je m'approche et je lui dis :

— Salut ! T'as vu ce truc de fou ! C'est trop trop bien, hein !

— Ça craint, oui. Tu entends ce que tu chantes, au moins, espèce de mouton débile ?

— Ben quoi, non, j'sais pas, on s'en fiche, c'est juste pour faire la fête.

— T'as raison : « Le pays libéré de sa vermine », c'est la fête.

— Pourquoi pas ?

— Tu sais ce que c'est, « la vermine » ?

— Les rats, les cafards, tout ça.

— Ouais, c'est ça, les cafards et... ton copain Walid.

Cette fille est complètement folle. Quel est le rapport entre la vermine et Walid ? Autour de nous, la fête continue. On nous tend des affiches rouges et brunes.

— Tu laisses Walid tranquille, OK ? J'insulte pas tes copains, moi !

— Moi, je vais le laisser tranquille, c'est sûr, mais ça ne sera pas le cas de tout le monde. T'es vraiment à l'ouest, mon pauvre.

— De quoi tu parles ?

— Walid, il n'est pas sorti faire la fête, ce soir ?

— Non, ses parents disent que c'est « risqué ».

— Et tu ne trouves pas ça bizarre, toi, qu'ils disent que la fête est « risquée » ?

— Ben si. Mais c'est pas une raison pour le traiter de vermine.

— T'es vraiment trop naze. Je lâche l'affaire.

La fille part en courant et jette son affiche par terre. Je déroule la mienne et je lis.

« 6 HEURES 33, TOUT LE MONDE DEBOUT ! »

Pas de quoi se planquer derrière les poubelles, franchement. Je retourne la feuille. Derrière, s'étale en grandes lettres rouges : « PARTI DE LA LIBERTÉ, LE PAYS ENFIN LIBÉRÉ DE SA VERMINE ! » En dessous, un dessin représente de grands hommes aux visages blancs, qui montrent une porte à de petits hommes aux peaux teintées de différentes nuances de brun.

Je lâche la feuille comme si elle était en flammes. Je réalise, d'un coup. Sans transition. Je réalise que je suis un vrai idiot. Que la fille avait raison en disant que la « vermine » de la chanson, c'était Walid et sa famille. Je réalise surtout que j'ai trahi mon meilleur pote en la chantant. Je pense à mes parents, qui ont voté pour ces monstres. Qui doivent faire la fête, à l'heure qu'il est. Une fête anti-Walid, dans ma maison. Et je n'ai rien vu venir. Et puis, je me dis que c'est impossible. Qu'eux non plus, ils n'ont pas dû comprendre. Ça ne peut pas être autrement. Mes parents n'aiment pas Walid parce qu'il m'appelle Toto. C'est tout. Rien à voir avec le reste. En tout cas, je dois rentrer, et vite.

Je piétine la feuille, dégoûté, comme si c'était une crotte de chien.

— Hé, toi ! Ramasse ça !

Quatre hommes en noir sont devant moi. Ils me montrent la feuille que je viens d'écraser.

— Depuis quand on marche sur la Liberté ?

J'obéis. Je me penche et je prends l'affiche.

— J'aime mieux ça, dit l'un d'entre eux. Et maintenant, rentre chez toi, faut pas traîner ici, mon gars. Bientôt, les mômes n'auront enfin plus le droit de sortir à cette heure-ci, alors habitue-toi tout de suite.

Je serre la feuille et je me mets à courir.

Des larmes coulent toutes seules de mes yeux. Au moment de passer devant les fenêtres de Walid, je tourne la tête. Sa sœur Samia est là, derrière les rideaux entrouverts de la cuisine. Elle regarde dehors, l'air inquiet. Tout à coup, Walid ouvre la porte et vient me rejoindre.

J'entends Samia qui hurle :

— Walid ! Rentre ici tout de suite !

J'essuie mon visage tout en continuant de courir. Et je crie :

— Faut pas rester là, Wawa, le Parti de la Liberté, c'est pas ce qu'on croyait.

Walid me rattrape et m'arrête, d'une main sur l'épaule.

— Je sais, mes parents m'ont tout expliqué. Tu n'y es pour rien. On ne pouvait pas savoir. Mais maintenant, ma famille et moi, on va peut-être devoir partir.

— Quand ?

— J'en sais rien. Mon père veut attendre un peu.

— Je suis désolé, Wawa. Je savais pas. J'te jure.

— Walid ! Tu rentres ! Maintenant !

— Toto, faut que j'y aille. On se voit demain. Enfin, j'espère.

Je me retrouve à nouveau tout seul, dans la rue. Encore plus seul, même. Sans Walid. Mais avec son visage dans les yeux. Et sans savoir si je le reverrai un jour.

Plus loin, les quatre types en noir chantent et collent des affiches un peu partout. J'aimerais pouvoir les désintégrer, comme dans un bon jeu vidéo. Et que tout redevienne comme avant. L'un d'entre eux se retourne et me jette un regard menaçant. Je recommence à courir. Direction la maison.

J'aperçois enfin mes parents. La porte est grand ouverte et il y a des tas de gens à l'intérieur. Ça chante et ça crie. Un grand drapeau rouge et brun a été accroché à la fenêtre de ma chambre. Je me mets à frissonner en le voyant flotter au-dessus du trottoir. Comment peut-on aimer ce Parti de la Liberté ? Pourquoi détester à ce point ceux qui viennent d'ailleurs ? Comment peut-on haïr Walid ? Walid, mon meilleur pote ! Je reste là, sans oser avancer.

Ma mère se retourne et me voit.

— Hector ! Mon chéri ! Viens fêter ça avec nous !

Je reste immobile. Ma mère s'approche.

— Hector ! Viens, ton copain est là avec ses parents !

Walid ? Chez nous ? Je le savais ! Je le savais ! J'inspire une grande bouffée d'air. Je me sens revivre. Je sors enfin de cet horrible cauchemar peuplé de types en noir.

J'entre, soulagé, et puis je réalise que Walid ne peut pas être à la fois chez lui et ici. Qu'il ne sert à rien de vouloir y croire.

— Regarde qui est là ! dit ma mère joyeusement en me prenant par l'épaule.

Je tombe sur Maxime. Le fils du collègue de mon père. Celui qui refuse de serrer la main de Walid quand on se croise dans la cour du collège. Il porte un tee-shirt « Parti de la Liberté » et boit un coca au milieu du salon. Le cauchemar continue.

Ma mère me laisse avec lui et repart en riant avec une voisine. Je l'entends, dans la cuisine, qui dit :

— Comme je te le disais, Christine, y'en a marre de payer pour des gens qui n'ont rien à faire ici.

Une voix de femme lui répond :

— Rassure-toi, tout ça, c'est fini !

Et elles se mettent à rire bruyamment.

Je sens mon cœur s'arrêter de battre. Je me transforme en pierre. Maxime s'approche de moi.

— Salut Hector, alors, t'as vu, c'est fort, non ?

— C'est quoi qui est « fort » ? La haine ? Les types dans la rue qui nous donnent des ordres en aboyant ? Les familles qui vont être obligées de partir ?

— Houlà ! T'as un problème ?

— Je crois, oui. Plusieurs, même. Et, d'ailleurs, l'un d'entre eux se tient juste devant moi. Un gros problème avec un tee-shirt trop laid.

Maxime pose son coca et se jette sur moi. Un vrai chien de combat. On dirait que ça fait des années qu'il rêve de pouvoir faire ça, tant son visage est déformé par la rage. On tombe par terre et on se balance des coups.

Mais, très vite, mon père arrive et nous sépare.

— Non, mais ça va pas, les garçons ? Qu'est-ce qu'il vous prend ?

— Hector est une sale vermine, comme son copain Walid !

— Maxime, tu arrêtes tout de suite ! crie sa mère, avant de dire à son mari, d'un air gêné : je crois qu'on devrait y aller…

Tout le monde nous fixe, l'air horrifié.

— Les amis, désolé, mais il va falloir continuer la fête chez vous, dit mon père en me jetant un regard de tueur.

Quelques minutes plus tard, ils sont tous partis, Maxime, ses parents, et les autres. La fête est finie. À supposer qu'on puisse appeler ça une fête. Le silence dans la maison est terrifiant. J'entends même le drapeau qui claque, dehors, à ma fenêtre. Mon père s'avance vers moi après avoir raccompagné les derniers voisins sur le trottoir. Puis il me saisit par les épaules. Furieux.

— Hector, tu peux m'expliquer, bon sang ?

Je baisse la tête et je ne réponds rien. Tout à coup, je n'ai plus envie de me battre. Mes mains pendouillent au bout de mes bras comme si elles avaient perdu l'occasion de servir. À jamais. Je lève les yeux vers mon père. Et je réalise que je suis beaucoup plus en colère contre le Parti de la Liberté que contre lui. Car c'est le Parti, le vrai responsable de toute cette haine. C'est lui qui a fait croire à mes parents que les problèmes de notre pays venaient d'ailleurs.

Mon père s'est calmé devant mon silence et me fixe d'un air triste. Moi, j'ai envie de hurler. Je voudrais le faire changer d'avis. Lui expliquer que la différence, c'est justement ce qui est beau. Mais je reste muet comme une carpe. Parce que je sais bien que cette petite phrase n'y changera rien et que je suis incapable de dire plus. Et puis, je n'ai pas le choix. C'est pas un truc qu'on fait, ça, à onze ans, de décider qu'on n'aime plus ses parents à cause de la politique.

Soudain, j'ai envie que mon père me prenne dans ses bras. Envie d'oublier ce qu'il a fait. Je suis épuisé. Je me blottis contre lui, mais rien n'est plus comme avant. Je ne sens plus de chaleur passer entre nous. Je suis mal à l'aise. À la fois près de mon père et très loin. Alors, je prends la seule décision possible : couper ma vie en deux. Vivre dehors avec Walid, et agir en secret avec ceux qui souhaitent le retour de la vraie liberté. Vivre dedans avec mes parents, en évitant les questions qui fâchent jusqu'à ce que le moment soit venu pour moi de dire ce que je pense. Espérer qu'ils ouvrent les yeux, un jour.

Et, à cet instant, moi, Hector Darchant, dans ma propre famille, je deviens résistant.

Mardi 5 juin
De l'eau et du sel

Dans la famille Miquelon, la grand-mère, c'est elle : Lisel. Assise sur un fauteuil à bascule qui couine, elle regarde la mer par la fenêtre. La mer, comme son visage, est plissée et froissée de milliers de ridules.

Une dégringolade dans l'escalier, puis Léonie, Mathieu et Elsa entrent à toute blinde dans le salon :

— Mamie, Mamie, Mamie ! Tu ne devineras jamais !

— Jamais de chez jamais !

Mamie sourit :

— Dites-moi donc.

— Papa et maman sont en train de réparer le voilier !

Alors, son pressentiment est avéré : il va y avoir un départ. Plusieurs départs. Maman, papa, Léonie, Mathieu, Elsa, et peut-être même Cookie, le cocker, qui a toujours eu la patte marine.

— Ils vous ont dit pourquoi ils le réparent ? demande Mamie.

Mathieu et Elsa haussent les épaules, mais Léonie a une idée en tête. Quand elle a surpris maman et papa, ce matin, en train de retaper le vieux rafiot – qu'elle n'a jamais vu à flot en douze ans d'existence –, elle s'est d'abord demandé si c'était une nouvelle lubie, une occupation choisie au hasard pour meubler leurs dimanches. Mais, tout de suite après, elle s'est aperçue que quelque chose clochait. On n'était pas dimanche.

— Pourquoi vous n'êtes pas au travail ?

Les parents se sont retournés, un peu gênés.

— On avait des choses urgentes à faire ici, a répondu maman.

— Urgentes ? Ça fait des milliards d'années que ce bateau pourrit dans le hangar.

— Pas des *milliards* d'années, a soupiré papa. On l'a utilisé, ta mère et moi, pour notre lune de miel.

— C'est bien ce que je dis. Des milliards de milliards d'années.

Ils ont rigolé, continuant gaiement à enduire la

coque craquelée d'imperméabilisant, à reclouer des planches. Papa est ébéniste, maman est électricienne. Ils se débrouillent avec le marteau et le tournevis.

— On s'est dit qu'il était temps de lui refaire une jeunesse, a finalement déclaré maman, qui portait une vieille salopette élimée et une tache de peinture vert bouteille sur la joue.

— Pour quoi faire ?

— Pour faire parler les petites filles, a répondu papa.

Et hop ! Il l'a délogée du hangar à grands coups de balai.

Alors, Léonie répond à la question de sa grand-mère :

— Je pense…, dit-elle, un peu hésitante. Je pense qu'ils veulent faire un voyage en voilier.

— Un voyage ? s'indigne Elsa. Et nous, alors ?

— Mamie pourra nous garder, murmure Mathieu.

— Du calme, déclare Mamie. Papa et maman ne vont pas vous laisser ici tout seuls.

— Alors, on va tous partir ? s'extasie Léonie. Tous les six, et même Cookie ?

— Je ne pense pas, ma chérie, répond Mamie. Ta vieille grand-mère est trop âgée pour ce genre d'aventure. Je serais un fardeau pour tout l'équipage.

Mathieu et Elsa protestent :

— T'es pas vieille, Mamie ! T'as même pas de canne !

Léonie reste silencieuse. Elle regarde Mamie qui contemple la mer. Un fardeau… Quel horrible mot.

— Peut-être que papa et maman réparent simplement le voilier pour aller faire des balades en mer de temps en temps, dit-elle lentement. Pourquoi est-ce qu'on partirait d'ici ? On est bien, dans notre maison.

Mamie lui sourit, mais Léonie voit bien que c'est un sourire peu convaincu, qui essaie de rassurer mais qui n'y arrive pas.

— Il y a des fois, dit Mamie, où il faut partir.

Elle la sentait venir, Mamie, cette subite réparation du voilier. Oh, pas depuis longtemps – juste depuis hier – depuis les résultats des élections. On n'a rien vu venir, mais, quand les résultats se sont affichés à l'écran – « *Le Parti de la Liberté au pouvoir !* » –, de son fauteuil à bascule, elle a regardé, non pas la télé – « *Qu'en pensez-vous, mon cher Jean-François ?* », « *Écoutez, mon cher Auguste, c'est un événement socio-politico-culturel d'une ampleur…* » –, mais les cinq visages graves sur le canapé du salon.

Papa :

— Je n'y crois pas.

Maman :

— C'est impossible !

Mathieu :

— C'est le parti qui veut qu'on porte tous un uniforme vert ?

Elsa :

— C'est le parti qui veut qu'on ne chante que les chansons qu'il aime ?

— Oui, a dit maman, c'est ce parti-là.

— Mais qui a voté pour eux, s'ils sont aussi nuls ? a demandé Léonie.

— Des gens comme nous, a soupiré papa. Peut-être même des gens du village.

Et il n'a rien dit de plus, mais tout le monde a compris. La famille Darchant, celle avec les parents qui ont l'air toujours sympa, à la boulangerie, mais dont il se murmure qu'ils attendent ce moment depuis des années déjà.

C'est là que Mamie a compris que quelque chose allait changer. L'expression fermée de maman, l'inquiétude nerveuse de papa, l'air soudain sérieux de Léonie. Il allait y avoir un changement de cap, chez les Miquelon. Et elle savait qu'elle n'allait pas en faire partie.

— Au moins, a murmuré papa, si la situation dégénère encore plus, notre famille ne risque pas grand-chose. Heureusement pour nous, on est Français depuis belle lurette.

— Pardon ? s'est écriée Léonie. « Heureusement

pour nous » ? Alors que Walid et Samia habitent juste à côté ? Eux, « malheureusement », ça ne te dérangerait pas qu'ils soient menacés ?

Papa a hoché la tête.

— Tu as raison, a-t-il dit. Tu as raison, Léonie. J'ai dit n'importe quoi.

Et ils sont montés se coucher. Enfin, c'est ce qu'ils ont dit aux enfants. Car Mamie, depuis la fenêtre de sa chambre, les a vus s'éclipser, à minuit, et marcher doucement vers le hangar au voilier. Le très, très vieux voilier, que les années ont recouvert de mousse. Mamie a alors deviné.

Elsa sautille d'un bout à l'autre du salon en maillot de bain jaune :

— On part ! On part !

— Maman et papa viennent de nous l'annoncer ! s'exclame Léonie, qui entre à son tour, les bras chargés de vêtements, de jouets, de livres, de chapeaux, de chaussures. On part faire un tour du monde en voilier !

Elle tournoie sur elle-même, prise de vertige. Un tour du *monde* ! Elle qui a à peine quitté la région. Cookie se joint à la fête, jappant joyeusement, sautant d'une patte sur l'autre, ses oreilles battant l'air comme des ailes de mouette.

— C'est merveilleux, mes chéris, dit Mamie. Quand partez-vous ?

— Le plus tôt possible ! répond Mathieu, qui vient de débarquer dans le salon, une bouée autour du ventre et un masque de plongée sur la tête. Dès que le voilier est prêt. Peut-être même la semaine prochaine !

— Maman et papa vont devenir nos profs, déclare Léonie, d'un air sérieux. On aura des cours sur le bateau. Et on va les aider à le réparer et à le meubler et à le rendre tout confortable et moelleux et…

— Mathieu ! Elle vient, cette perceuse ? crie papa depuis la porte du jardin.

— Ah oui, pardon ! J'avais oublié !

Il tente de courir, mais ses palmes en plastique rendent la chose difficile.

— Le voilier va changer de nom, dit Léonie à Mamie. On va l'appeler *Le Résistant*.

— C'est bien, approuve Mamie. C'est un beau nom.

Elsa, qui commence à avoir froid dans son maillot de bain, monte dans sa chambre trier ses peluches. Il y en a qui doivent absolument venir, et d'autres qui peuvent rester ici à les attendre. Est-ce que les parents accepteront qu'elle emporte Lola, la girafe ? Elle entend déjà les protestations de maman : « Elsa, elle fait deux mètres de haut, ta girafe ! Tu crois vraiment qu'on aura la place ? »

Pendant ce temps, Léonie s'approche de Mamie :
— Ça va, Mamie ?
— Très bien, ma grande.
— Papa m'a dit que c'est toi et Papi qui leur aviez donné le bateau.
Mamie hoche la tête :
— Oui, c'était le nôtre, avant.
— Vous aviez fait un tour du monde, vous aussi ?
— Non, pas un tour du monde. Mais on l'avait utilisé, comme vous, pour partir d'un endroit qu'on n'aimait plus.
— Quand ça ?
— Pendant la guerre. On a pris le bateau, et on est partis pour l'Angleterre.
— C'est là que tu as appris l'anglais ?
— *Yes, my darling.* On y est restés cinq ans, et puis on est revenus quand c'était moins dangereux pour nous.
— Vous habitiez où ?
— Dans le voilier. On allait de port en port. On n'avait pas assez d'argent pour se payer une maison, tu comprends.
Léonie sourit :

— Dis donc, tu dois être super forte en navigation.

— Je l'étais à l'époque, mais c'était il y a très longtemps.

— Je suis sûre que tu n'as presque rien oublié. Tu seras notre capitaine !

Mamie approuve distraitement. Sa vision devient floue, comme si elle avait deux petites gouttes de mer dans les yeux.

— C'est ça, dit-elle à Léonie. Je serai votre capitaine resté au port. Vous m'écrirez des lettres, hein ?

— Tu ne viendras pas, Mamie ?

— Je serais un fardeau. Je suis trop vieille, maintenant, trop vieille.

Un fardeau, encore ce mot terrible. On ne vit pas toutes ces années pour devenir un « fardeau ».

Léonie regarde les mains de sa grand-mère. Des cals recouvrent ses paumes. Si l'on presse le bout de ses doigts, la peau déformée ne se remet pas tout de suite en place. Ce sont des mains qui ont enroulé des cordages, recousu d'épais voilages, plongé de durs filets dans l'eau glacée de l'Angleterre. Des mains salées, qui ont connu la claque du vent.

— Il faut que tu viennes, chuchote Léonie. Déjà qu'on abandonne tout le monde…

— Tout le monde ?

— Les amis, l'école, le pays…

— Et Marcus ? demande Mamie avec un sourire.

— Marcus ? Comment ça, Marcus ?

Le visage de Léonie vire au groseille, Mamie se marre, son fauteuil grince. De son poste d'observation avancé, elle observe tout, elle comprend tout.

— Tu vois, rigole Léonie, c'est pour ça qu'il faut que tu viennes. Sans toi, on est aveugles, on s'écrasera sur les rochers. Tu dois venir, Mamie ! Tu seras notre boussole.

— Une vieille boussole rouillée, au temps des GPS de navigation ultra-sophistiqués, ricane Mamie.

— On peut avoir les deux à la fois.

La musique du fauteuil en osier sur le parquet – dehors, le roucoulement de la mer. Le fauteuil à bascule, Mamie le monopolise, parce qu'il lui rappelle le roulis régulier de l'océan. Elle ne peut plus s'endormir sans ce balancement.

— Ma cocotte, va donc me chercher mon somnifère.

Léonie la toise, puis dit fermement :

— Ce n'est pas le moment de dormir.

Il est 21 heures 30, ce mardi soir, et la table est à peine mise.

On mange tard, à cause des préparatifs, de l'enthousiasme collectif, du *changement*. Mamie vient se mettre à table alors que papa dispose fébrilement les assiettes, que maman tranche du pain en envoyant valser les miettes.

Elsa et Mathieu se disputent parce qu'il n'y a qu'un télescope et ils le veulent tous les deux.

— Je t'en achèterai un demain, Mathieu, promet maman.

— Alors, maman, dit papa à Mamie, les enfants t'ont dit ? On met les voiles !

— J'ai entendu ça, répond doucement la grand-mère. C'est bien.

— Ah, on se doutait que ça te plairait, dit papa. C'est la bonne décision à prendre, dans ces conditions. Pourquoi rester dans un pays qu'on n'aime plus ? Tu l'as fait, toi, déjà, il y a toutes ces années.

— Oui, et j'espérais que vous n'auriez pas à le faire, vous aussi, murmure Mamie. Et, comme la dernière fois, on n'a rien vu venir. C'est la vie.

— Bon, en tout cas, rétorque maman, il faut que vous nous aidiez. Notamment pour meubler votre cabine. Ne vous inquiétez pas, on ne va pas vous mettre dans un hamac… Mais il faut nous dire quel type de matelas vous voulez. Et les habits ! Il faudra trier vos habits, Belle-Maman.

Mamie, hébétée, regarde son fils et sa belle-fille, et ses petits-enfants, et le chien. Le sourire de Léonie.

— Comment ça ? balbutie-t-elle.

— Mamie est persuadée qu'elle n'est pas invitée au voyage, explique Léonie. Toute la journée, elle n'a pas arrêté de nous dire qu'elle serait un fardeau.

— Mais enfin, c'est ridicule, s'écrie papa qui éclate de rire. Tu ne pensais quand même pas qu'on allait te laisser ici ?

— Qui nous guiderait ? reprend maman. Qui nous indiquerait le chemin à prendre, si vous n'étiez pas là, Belle-Maman ?

Mamie, muette, les fixe tour à tour du regard. Ils ne plaisantent pas, on dirait. Ils veulent bien d'elle à bord. Ils veulent qu'elle embarque sur leur voilier. Après toutes ces années…

Alors, elle dit :

— Très bien, je viendrai.

Et puis, ignorant une petite boule qu'elle sent monter dans sa gorge, elle demande à Léonie, d'un ton péremptoire, de bien vouloir lui passer l'eau et le sel.

Mercredi 4 juillet
Tout en nuances

Ma mère est entrée en claquant la porte. Mon frère et moi, on était à côté d'elle en vingt-cinq secondes top chrono.

— On n'a pas la bonne nuance ! On n'a pas la bonne nuance ! Qu'est-ce qu'on va devenir…, elle a ajouté dans un souffle.

On n'aime pas voir maman paniquer comme ça. Depuis l'annonce des résultats, elle a les nerfs à vif, version cocotte-minute au bord de l'explosion. Je m'en souviens, ce soir-là, dès que la tête du Chef du Parti de la Liberté s'est affichée sur l'écran de notre télé, elle a hurlé en se tournant vers mon père :

— On va tous mourir ! José, on va tous mourir !

— Calme-toi, Maroussia, lui a répondu papa. Ça va aller.

— Non. Ça ne va pas aller…

Et elle nous a tous serrés contre elle, comme si c'était la fin du monde qui se préparait. Depuis, elle n'est plus la même. Elle panique. Pour tout, elle panique.

Nous, on n'a rien vu venir. Mais elle, elle prédit « La Grande Catastrophe » depuis le début. Ça a commencé quand Walid est descendu rejoindre Hector dans la rue, après la victoire. Elle a failli faire une crise de nerfs ce jour-là… Chaque soir, elle fait trois fois le tour de tous les réveils de la maison. On en a maintenant deux par chambre. Six réveils qu'elle règle elle-même quotidiennement. Un qui sonne à 6 heures 10, l'autre à 6 heures 23. Et si, à 24, on n'est pas debout, elle déboule dans nos chambres.

— Mais, Maman ! C'est pas encore 6 heures 33, s'énerve Walid chaque matin.

— Encore heureux, elle répond simplement en écartant les rideaux.

Elle panique dès qu'on doit sortir. Et on a intérêt à avoir une bonne raison, sinon on est consignés à la maison.

— C'est trop dangereux, les enfants ! Restez ici. Ça vaut mieux.

Elle panique parce qu'elle a tout le temps peur d'oublier quelque chose. C'est sûr qu'avec la quantité de nouvelles règles du Parti, c'est compliqué de penser à tout. Alors, elle fait des listes. Qu'elle accroche partout dans la maison. Une liste près du frigo, avec les aliments autorisés. Une liste près des armoires, avec les couleurs des vêtements à respecter. Une liste près du miroir de la salle de bains, avec les exercices physiques à faire au réveil pour entretenir son capital santé. C'est ce qu'ils répètent dans les pubs à la radio : « *Chacun doit entretenir son capital santé pour le bien-être de tous !* »

Il y en a même une sur la porte d'entrée, avec ses recommandations à elle :

1. Marcher la tête baissée.

2. Ne pas attirer l'attention.

3. Ne pas se regrouper.

4. Ne pas traîner en route, avancer rapidement.

5. Ne pas adresser la parole à quelqu'un qu'on ne connaît pas.

6. Ne faire confiance à personne !

La sixième recommandation est soulignée deux fois. En rouge.

C'est Walid qui est arrivé le premier à côté d'elle. Elle était blanche comme un linge, elle qui a une si jolie peau caramel.

— Ça n'a pas marché, elle a dit en s'effondrant par terre comme un tas de chiffons. On n'a pas la bonne nuance. Vous allez tous être convoqués. Par ma faute.

Et là, il s'est passé quelque chose que je ne croyais même pas possible. Ma mère, ma forte et courageuse mère, la Citadelle de notre famille, celle qui nous porte depuis tant d'années, a subitement été secouée de gros sanglots.

— Maman…, j'ai juste réussi à dire, d'une voix étranglée.

— C'est pas grave, Maman, a ajouté Walid. On va s'en sortir, t'inquiète pas. On va trouver une solution.

— Des solutions, y en a pas, a dit maman en levant ses yeux pleins de larmes. On faisait déjà partie, votre père et moi, de ceux qui ne sont pas nés ici. Maintenant, il y a cette histoire de nuances. Qu'est-ce qu'ils veulent qu'on fasse ? On ne peut quand même pas changer de peau !

Mon frère et moi, on s'est regardés sans rien dire.

— Ce n'est qu'une question de jours. On va tous être convoqués au Ministère des Origines Nationales… Qu'est-ce qu'on va devenir ? elle a répété.

— On est là, Maman. Personne pourra jamais nous séparer, a dit Walid en la relevant et en la prenant par le bras, comme s'il était devenu un garçon-béquille.

J'avais vu les nuanciers se multiplier, mais sans vouloir y croire. C'est tellement ridicule, cette échelle de couleurs qui va du blanc au noir. Il y a plusieurs niveaux. Le plus bas, c'est le niveau 1, le blanc. Juste au-dessus, le niveau 2, le blanc cassé. Puis le niveau 3, le beige. À partir du niveau 4, on franchit une ligne rouge et tout ce qui est au-dessus n'est pas « acceptable ». Hors-la-loi donc, le niveau 4, caramel. Le niveau 5, marron clair. Le niveau 6, marron foncé. Le niveau 7, brun. Et enfin, le niveau 8, noir. Carrément inacceptable.

Au début, il y avait des nuanciers seulement à l'entrée du Ministère des Origines Nationales. Peu à peu, on en avait découvert dans tous les quartiers, fixés à la devanture des Cellules Locales du Ministère de l'Hygiène Physique et Mentale. Puis à celle des commerces. Enfin, les nuanciers avaient été diffusés dans les journaux. Avec un appel à la population : « *Venez vous faire nuancer ! Des convocations seront adressées à la population, mais les personnes qui devanceront l'appel et viendront de leur propre initiative se verront remettre des points supplémentaires dans leur Carnet du Citoyen qui leur a été délivré par le Ministère de la Droiture.* » Les nuanciers s'étaient répandus partout.

Ils en avaient accroché jusque sur les feux tricolores. Quand les piétons attendaient avant de traverser, les regards passaient du nuancier au groupe. On sentait des yeux perçants nous dévisager. J'avais vécu un moment très pénible, en attendant que le petit bonhomme passe au blanc. Parce que, ça aussi, ça avait changé. Les bonhommes ne devenaient plus verts, mais blancs. La bonne couleur, la couleur des gens du Parti. Ce jour-là, un vieux monsieur m'avait observée fixement. Il s'était approché du nuancier et avait posé sa main, sans me lâcher des yeux, sur la ligne rouge, la limite de « l'acceptable ». J'avais dû accélérer le pas pour rentrer chez moi et emprunter des tas de petites rues pour le semer. Pas question de se faire repérer et qu'il voie où on habite !

— Qu'est ce qui t'arrive, Samia ? m'avait demandé mon frère quand j'étais rentrée hors d'haleine chez nous.

— On a essayé de me suivre jusqu'ici. À cause des nuanciers. Y a un grand-père qui ne voulait plus me lâcher.

— Il t'a pas vue entrer, t'es sûre ?

— T'inquiète, j'ai dit avec un grand sourire. Il sera bon pour des courbatures demain, Pépère… mais le deux cents mètres, c'est pas encore pour lui !

Mon frère a poussé un soupir presque aussi long qu'un matelas pneumatique qui se dégonfle, et il m'a chuchoté :

— Pas un mot à maman, d'accord ? Pas la peine de l'inquiéter.

— Prends-moi pour une débile, j'ai répondu en levant les yeux au ciel.

N'empêche qu'il y avait de quoi s'inquiéter. Parce que, depuis quelque temps, la mode était aux dénonciations. Dans notre rue, on avait assisté au « déménagement » d'une famille. Leurs affaires étaient parties dans un camion, pendant qu'une fourgonnette embarquait les gens. Walid avait glissé sa main dans la mienne et je crois que, lui comme moi, on n'est pas prêts d'oublier les yeux terrorisés de la maman qui serrait son petit garçon contre elle, en montant dans le fourgon.

— Ça y est ! Le nettoyage commence enfin ! avait dit un de nos voisins, le lendemain, chez le boulanger.

Ça m'avait glacé le sang et j'étais repartie aussitôt sans ma baguette, en refermant doucement la porte derrière moi. Depuis le « déménagement » de cette famille, maman n'avait plus été pareille. C'est sans doute pour ça que, deux jours après, elle a pris la décision d'aller se faire nuancer, sans attendre la convocation.

— Ne fais pas ça, Maman, je lui avais dit. N'y va pas !

Elle avait passé sa main tendrement sur ma joue :

— Samia, ma chérie… Ils ont dit que ceux qui viendraient d'eux-mêmes seraient mieux notés dans leur Carnet du Citoyen.

— C'est un piège ! avait hurlé Walid. Samia a raison, ne fais pas ça !

— Si je n'y vais pas, on va finir par se faire dénoncer. Avec tous ces « déménagements » en série, on va bientôt être les plus foncés dans le quartier… Et puis, ils ont promis.

— Maman, j'ai supplié. N'y va pas ! Relis ta sixième recommandation : « *Ne faire confiance à personne.* » On ne peut pas leur faire confiance, à ces gens-là !

Le regard de ma mère a vacillé, mais elle a dit :

— De toute façon, on est au-dessus de la limite acceptable. Alors, si on arrive à avoir des points en plus, peut-être que ça compensera.

Et elle y est allée.

Le soir même, mon père a organisé sa « résistance », comme il dit.

— Y en a marre. On ne va pas se laisser faire. Et puis, ces lois sont ridicules. Alors, n'ayons pas peur du ridicule, nous non plus ! On va en jouer, mes p'tits cocos !

Et, sur un gros clin d'œil, il est allé farfouiller

dans une armoire. Ma mère l'a fixé sans bien comprendre, jusqu'au moment où on l'a vu revenir avec sa mallette d'avant. De quand il travaillait encore. De quand ce n'était pas obligé de travailler « utile ». Mon père était clown, avant les élections. Mais, évidemment, dans la semaine qui a suivi, il s'est retrouvé au chômage. Supprimés, les cirques, fermés, les théâtres, dissoutes, les compagnies et les troupes. Aujourd'hui, il faut être productif. Et produire du rire ou du plaisir, ça ne sert à rien. Point.

— Tadaaam ! s'est exclamé papa en brandissant un pot blanc, sorti de sa mallette. Là-dedans, on a tout ce qu'il nous faut !

Il a ouvert la boîte. On s'est penchés au-dessus, Walid et moi, et on a vu une grosse pâte blanche.

— C'est avec ce truc qu'on est tirés d'affaire ? a dit Walid avec une grimace.

— Oui, mon grand ! a répondu papa, fier comme un vendeur de voitures devant son plus beau modèle.

Il a fait un mélange avec sa pâte et de l'eau.

— Voilà ! C'est assez dilué. Maroussia, approche, s'il te plaît.

Il a étalé son mélange avec des gestes doux sur le visage de ma mère. Cinq minutes après, elle était pâle ! Enfin, pâle par rapport à d'habitude. Presque blanche, quoi ! On s'est avancés pour voir de plus près.

— Wahou! j'ai crié. On ne voit même pas que c'est du maquillage !

— Eh ! Eh ! a dit papa avec un sourire de vainqueur. Travail de pro !

Maman est allée se voir dans le miroir. Et quand elle s'est retournée, on a enfin revu son beau sourire d'autrefois. Mon père, lui, jubilait :

— Qu'ils nous convoquent, tiens ! Qu'ils nous convoquent ! Et on verra bien qui aura le dernier mot.

Quelques heures plus tard, Walid et moi on s'est retrouvés pour une soirée complot-complot. Ça faisait longtemps que ça ne nous était pas arrivé. J'ai entendu gratter à ma porte, puis, juste après, Walid a chuchoté :

— Complot-complot ?

— Vas-y, entre !

Je me voyais pas répondre « complot-complot », comme avant. Ça fait un peu crétin, j'aimerais pas que les copains soient au courant ; n'empêche, j'adore ces moments-là avec mon frère.

Il a refermé la porte sans bruit et il s'est glissé sous les draps à côté de moi.

— C'est génial pas vrai, ce qu'a fait papa ? Hein, Samia ?

— Ouais, c'est génial, j'ai dit. Et t'as vu ? Il veut

organiser des réunions clandestines avec tous ceux qui dépassent la limite acceptable. Il est vachement courageux.

— Ça serait super si, nous aussi, on organisait notre « résistance ». Comme lui. Hein, Samia ?

— Ouais, c'est une super idée, ça, Walid !

On est restés un moment sans rien dire, dans le noir.

— Qu'est-ce qu'on pourrait faire, tu crois ?

J'ai repensé à cette histoire de nuanciers et je me suis dit que je la tenais, ma bonne idée.

La nuit, à 3 heures, on se lève, Walid et moi.

À ce moment-là, les rues sont désertes. C'est l'heure de la relève des Patrouilleurs du Couvre-Feu, tout le monde le sait. Et on est quelques-uns à en profiter si l'on en croit les silhouettes qu'on devine le long des murs chaque nuit. On est habillés de sombre, avec juste un tournevis cruciforme dans nos poches, et on passe à l'attaque, quartier après quartier.

Ça a fait un sacré raffut. Et dès le premier jour. Le lendemain qui a suivi notre première virée nocturne, on a vu des gens qui s'énervaient, d'autres qui poussaient des hurlements offusqués. À ce qu'il paraît, il y en a même qui sont allés déposer une réclamation au Haut Commissariat des Citoyens Vigilants.

— T'as vu, Samia, le beau bazar qu'on a mis, m'a dit Walid, en rentrant de l'école. On y retourne ce soir ?

— Sûr de chez sûr ! j'ai répondu. En plus, on fait rien de méchant.

Et c'est vrai. On n'a même pas transgressé une loi. On s'est juste amusés à retourner les nuanciers. Maintenant, au-dessus de la limite à ne pas dépasser, il y a le beige, le blanc cassé et le blanc. Sont désormais autorisés, le caramel, le marron clair, le marron foncé, le brun et, top du top, le noir ! Ils ont bien essayé de les fixer autrement, mais on a changé d'outils et on a continué à les retourner.

Depuis, ce qui nous rend le plus joyeux, Walid et moi, c'est qu'à chacune de nos sorties nocturnes, on voit d'autres groupes qui dévissent, décollent et retournent. Je ne suis pas sûre qu'à ce rythme, ils restent encore bien longtemps, les nuanciers.

Et ça, c'est le début de la Liberté !

Jeudi 9 août
Comme sur des roulettes

Presque 10 heures. Le soleil frappe déjà fort derrière la vitre, mais Simon reste sous la couette. Adossé à son oreiller, il fixe les particules de poussière qui flottent dans la lumière. Il entend du bruit dans la cuisine, des pas pressés dans le couloir, des chuchotements.

Pourtant, ses parents devraient être au travail, et Morgane à l'école, à moins que ce ne soit le week-end, ou les vacances… Parfois, à force de rester allongé, il perd la notion du temps.

D'ici cinq minutes, sa mère entrera dans la chambre. Elle se dirigera vers la fenêtre, l'ouvrira et s'exclamera, faussement enjouée :

— Bonjour, mon chéri ! Bouh, ça sent le fennec, là-dedans.

Simon ne répondra pas et se tournera face au mur. Elle s'assiéra au bord du lit et, comme si elle y croyait, proposera :

— On se lève, aujourd'hui ?

— Non.

Elle n'osera pas insister, et murmurera :

— Je t'apporte un petit-déjeuner ?

— Non.

— Bon, je reviens dans cinq minutes pour ta toilette, alors…

Elle soupirera, ouvrira la bouche pour ajouter quelque chose, et, finalement, non, elle renoncera et quittera la pièce.

Se lever, et puis quoi encore ? Passer du lit au fauteuil roulant, de la chambre à la cuisine, de la cuisine au salon, et, le soir, retour à la case départ, au lit et bonne nuit, comme sur des roulettes ! Tu parles d'une vie ! Une vie foutue, oui !

Ça s'agite de plus belle dans la maison, mais il s'en fiche. Il attrape son bouquin et se plonge dedans. Il est si concentré qu'il sursaute lorsque la porte s'ouvre. Et voilà, c'est parti, la fenêtre, le fennec… Sauf que, non, changement de programme. Sa mère a les traits tirés, nuit sans sommeil, et elle vient direct s'asseoir à côté de lui.

— Mon chéri, il faut qu'on parle.

Son père s'approche aussi, mine des mauvais jours au menu :

— Il faut qu'on parle…

En trois mois, incroyable le nombre de fois où il a entendu cette phrase. Suivie de : « Essaie le fauteuil, c'est une première étape… », « Je t'en prie, fais-le pour nous, pour ta sœur… », « Ça ne peut pas durer, tu dois faire un effort, sinon… », « Si tu ne te décides pas, on va devoir employer les grands moyens… »

Tout y est passé. Les encouragements, les supplications, le chantage, les menaces… En vain. Pas question de s'adapter à cette nouvelle vie moisie.

Il lève les sourcils, curieux de savoir ce qu'elle aura inventé, cette fois.

— Tu sais que, depuis peu, nous avons un nouveau gouvernement, reprend-elle.

Il hoche la tête, surpris.

— Voilà… Ses idées sont un peu extrêmes, c'est le moins qu'on puisse dire et… Il y a eu beaucoup de changements ces derniers temps, on t'a tenu à l'écart pour te préserver.

Elle jette un coup d'œil à Philippe, son mari, qui s'agenouille à côté du lit et prend la relève.

— Le ministre de l'Hygiène Physique et Mentale exige que les personnes malades ou handicapées soient regroupées dans des endroits où… où on s'occupera d'elles. Définitivement.

Le garçon le dévisage, incrédule, et attend la suite. C'est Laura qui s'y colle, la voix tendue.

— On a reçu ta convocation hier : tu dois partir après-demain.

Simon secoue la tête, et sent le rire monter au fond de sa gorge, un rire nerveux, inconfortable, qu'il parvient à réprimer. Il les regarde l'un et l'autre :

— Vous n'avez rien trouvé de mieux ? Le grand méchant loup veut me manger, alors vite, il faut se lever, se bouger, fuir je ne sais où ? N'importe quoi, vous passez trop de temps devant la télé !

— Très bien, rétorque son père, lis ça !

De la poche de sa chemise, il sort une feuille impeccablement pliée et la lui tend. C'est un courrier à l'en-tête du Ministère de l'Hygiène Physique et Mentale, orné d'un drapeau brun et rouge.

« *Madame, Monsieur,*

En vertu du décret n° 3516516, les individus en situation de handicap ou atteints d'une affection de longue durée résideront désormais au sein d'un établissement de soins spé-

cialisés. Ils y recevront des traitements adaptés et y mèneront une existence à la mesure de leurs capacités.

C'est dans ce cadre qu'en date du 11/08 votre fils, Simon Nogent, sera conduit au centre des Essarts, où il sera désormais domicilié. Merci de le tenir à disposition de nos services dès 8 heures.

Le Ministère de l'Hygiène Physique et Mentale vous sait gré de votre compréhension et de votre adhésion à la mise en œuvre de cette mesure, symbole d'une société en mouvement. »

Simon rit ouvertement. Les Essarts, c'est ce vieux lycée technique qui a brûlé il y a trois ans, et dont il ne reste que des ruines. Il observe un instant la mine soucieuse de ses parents et leur rend la feuille.

— Un document pareil, je vous en sors des dizaines sur l'ordi. Copier-coller une adresse, faire un montage, facile ! Je peux vous en fabriquer un à l'entête de la Maison Blanche, si vous voulez !

— Mon chéri, tente Laura, tu n'imagines quand même pas qu'on a…

— Et les Essarts ! la coupe Simon. Un bâtiment désaffecté, sans murs ni toit, franchement, vous auriez pu trouver mieux. Ça ne tient pas debout, votre truc.

Philippe se relève, bras croisés, l'air las.

— D'après toi, on a inventé cette histoire pour que tu te décides enfin à quitter ton lit ?

Son fils acquiesce.

— Libre à toi de penser ce que tu veux. Si tu refuses d'y mettre de la bonne volonté, nous te lèverons de force.

Simon est surpris. Son père ne lui a jamais parlé d'un ton aussi sec. Le silence s'installe, les secondes s'égrènent et, soudain, le garçon sourit. Puisqu'ils veulent jouer, OK, il va jouer avec eux. Les suivre dans leur délire jusqu'à ce qu'ils soient obligés d'avouer que, oui, ils ont tout inventé : l'obligation de parquer les handicapés et les malades, la convocation, les Essarts…

— OK, dit-il, je me rends.

Sa mère pose une main sur la sienne et balbutie :

— C'est… C'est mieux comme ça, vraiment, c'est mieux.

Le garçon dégage ses doigts et lance, grand prince :

— Braves gens, apportez mon carrosse !

Philippe toussote.

— Oublie le fauteuil. Tu vas devoir mettre la prothèse. Si on se fait arrêter en route par les Vigilants, enfin, par la police, ils n'y verront que du feu.

Simon rougit. Ils poussent le bouchon trop loin. La prothèse, c'est un instrument de torture, et ça ressemble à tout sauf à sa jambe perdue. Durant les six mois passés au centre de rééducation, il ne s'est pas écoulé un jour sans qu'on l'oblige à marcher avec ce joujou infernal. Depuis son retour, il n'y a pas touché. Et les flics, qu'est-ce qu'ils viennent faire là-dedans ? Il fronce le nez, et demande :

— La police ? Pourquoi la police ?

Ses parents se dévisagent, et Laura prend la parole.

— On va passer la frontière pour se réfugier chez Moka, ma cousine. Les Vigilants sont partout, ils savent que pas mal de gens tentent de fuir, ton fauteuil risquerait de les alerter.

Simon soupire. Ils ne savent plus quoi inventer, c'est dingue. Très bien. Il ira jusqu'au bout, lui aussi.

— Laissez-moi, lâche-t-il, je vais me débrouiller.

Trois quarts d'heure ! Trois quarts d'heure pour ajuster la prothèse à ce qui reste de sa jambe, boitiller en grimaçant jusqu'à la salle de bains, prendre une douche et enfin s'habiller. Lorsqu'il en sort, Morgane est là, les yeux écarquillés, qui pointe son doigt vers lui.

— T'es comme avant, souffle-t-elle.

Il ne répond pas. Au bout du couloir, leurs quatre valises à roulettes les attendent, le ventre plein.

Laura murmure :

— Appuie-toi sur mon épaule, je vais t'aider à marcher.

Il renifle et s'écarte.

— On part tous les quatre ?

— Oui, le temps que les choses se tassent.

— Et votre travail, reprend le garçon, et l'argent ?

Philippe enfile son manteau et réplique :

— T'occupe pas de ça.

Simon lève les sourcils. Son père adore son boulot, il n'a jamais loupé une journée, même avec 40° de fièvre il va bosser… Tout d'un coup, il a envie de crier :

— Pouce ! On ne joue plus ! Et ne rêvez pas, au bout du compte, quoi qu'il arrive, je retournerai me coucher.

Mais il résiste, il se tait, et hop, en voiture Simon ! On longe l'interminable rue Ambroise Paré. Tous ces volets fermés, c'est curieux…

— Les gens dorment encore à une heure pareille ? s'étonne Simon.

— Tu peux parler : toi, tu dors à longueur de journée ! lâche Morgane, le nez collé à la vitre.

Laura se retourne à demi :

— Beaucoup de gens ont été plus prudents que nous, ils sont partis très peu de temps après l'élection. Les Miquelon, par exemple.

— C'est ça, t'as qu'à croire, marmonne son fils.

Sauf qu'en effet les Miquelon n'ont pas donné signe de vie depuis une éternité.

Rue Frédéric Sauvage, boulevard Anatole France, les Essarts… Les Essarts ? Subitement, Simon se redresse. Il ne reste aucune trace des ruines qu'il a en mémoire. À la place, un bâtiment neuf, une construction à deux balles, surmonté d'un panneau qui annonce pompeusement : « CENTRE RÉGIONAL DE REMÉDIATION POSITIVE ».

Pour la première fois, son incrédulité vacille. « Remédiation positive », ça veut dire tout et n'importe quoi, et ça, justement, c'est inquiétant. Et si ses parents ne mentaient pas ? Et si l'on parquait réellement les malades et les handicapés, là, derrière ces murs en toc ? Non, ce n'est pas possible, pas plus qu'il n'est possible qu'un gouvernement ait imposé une chose pareille sans que le pays entier se révolte.

Sa jambe le gêne, il cherche en vain une meilleure position et lance :

— Ça vous dérange si je retire ma prothèse ?

Morgane couine aussitôt :

— Non, pitié !

Il lui tire les cheveux, elle crie, mais, soudain, leur père crie plus fort encore :

— Chut ! Vigilants à cent mètres, arrêtez de faire les marioles !

Tout le monde se fige, même Simon.

La voiture ralentit. D'un geste, un gendarme leur ordonne de se garer.

— Contrôle de routine, les papiers du véhicule, s'il vous plaît, et les cartes d'identité des quatre membres de la famille.

Philippe s'exécute. Le type consulte une liste et scrute chacun des passagers avant de demander :

— Le motif de votre déplacement ?

— Les obsèques de ma mère, répond Laura, la voix étranglée.

Le type les dévisage de nouveau, l'air suspicieux, du genre « on me la fait pas ! », puis il s'adresse à Morgane :

— Ta grand-mère est morte ? C'est triste, ça…

La petite fille baisse les yeux, retire son pouce de sa bouche et se met à pleurer :

— Ma mamie… Ma… mamie… Ma…

— OK, vous pouvez circuler.

Philippe redémarre et s'éloigne.

Morgane demande :

— J'étais comment ?

— Super, mon ange, la félicite Laura.

Le cœur du garçon bat fort. Il n'a plus envie de jouer.

— Pourquoi je ne suis pas sur leur liste ?

— Ils ne peuvent pas t'interpeller par anticipation. Ils cherchent plutôt à choper ceux qui se sont déjà soustraits à leur convocation.

Simon se tasse sur son siège. Il a froid, et mal à sa jambe absente. Ses parents disent vrai. Il est réellement attendu aux Essarts, après-demain, pour être enfermé à vie dans un centre de « remédiation positive ».

— C'est quoi, ce truc de ouf, chuchote-t-il.

Son père le regarde dans le rétroviseur.

— Truc de ouf, je ne sais pas. Machine infernale parfaitement huilée, certainement.

Sa mère ajoute :

— Vous êtes des centaines de milliers concernés. Et, avant vous, plein de personnes d'origine étrangère, hop, renvoyées dans un pays où elles n'ont jamais mis les pieds. Sans compter les règlements ridicules auxquels nous devons nous soumettre…

Simon lève le menton :

— Et personne ne bouge ?

Laura secoue la tête :

— Ça s'est mis en place petit à petit, on n'a rien vu venir. Tant qu'on n'est pas concernés, tant que ça se passe chez le voisin, on fait le dos rond, nous les premiers.

Simon non plus n'a rien vu venir. Il a entendu les

infos à la radio, de loin en loin, mais il n'y a pas prêté attention, trop occupé à pleurer sa vie perdue.

Il lance, rageur :

— Vous n'avez pas voté pour ces malades, j'espère.

Son père lui offre un « non » bien net. Laura se tait.

— Maman ? insiste Simon.

Sa mère se retourne.

— Moi, oui. Ils se sont avancé masqués, ils promettaient du nouveau, une société en mouvement, ça m'a plu. Si j'avais su…

La route se poursuit en silence. À la frontière, on les arrête de nouveau. Ils descendent du véhicule, on leur tourne autour, on consulte des listes, on ouvre les bagages, on leur pose des questions. Simon retient son souffle. Si les Vigilants sortent les valises, ils trouveront, juste en dessous, son fauteuil roulant, caché par une couverture. Mais non, les types referment le coffre. Simon s'étire à fond, comme s'il était d'aplomb sur deux vraies jambes ; il fait semblant de boxer avec sa sœur : la totale.

Quand il remonte en voiture, ses cicatrices lui font si mal que les larmes lui montent aux yeux. Il serre les mâchoires… Deux cents mètres plus loin, Philippe souffle :

— C'est fini, t'es sauvé, mon chéri.

Sa mère dissimule son visage entre ses mains et Morgane se met à chanter : « On a gagné, les doigts dans le nez, ils ont perdu, les doigts… »

— La ferme, la coupe sèchement Simon, on n'a rien gagné du tout.

— Pfff, tu casses trop l'ambiance ! lui répond-elle en haussant les épaules.

Le voyage s'achève deux heures plus tard, devant le chalet de la cousine Moka. Simon n'a pas le temps de dire « ouf » que déjà son père lui présente le fauteuil roulant.

— Ça va pas, non ? Pas question que je monte là-dedans.

Devant sa famille médusée, il claudique le long de l'allée qui mène à la maison. Personne ne voit le grand sourire sur son visage, celui qui fête sa victoire : « Simon : 1 – Vie foutue : 0 » Personne non plus ne lit dans ses pensées, de vrais chevaux fougueux qui l'entraînent vers l'avenir, un avenir où il luttera contre les dingues qui veulent l'enfermer.

Un avenir où, chaque jour, il se tiendra debout.

Vendredi 7 septembre
Sourire en coin

Comme presque tous les matins depuis l'élection, mon réveil sonne à 6 heures 33. Personne ne sait vraiment pourquoi le Chef du Parti de la Liberté a choisi cet horaire… Ce qui est sûr, c'est qu'on se lève tous à la même heure, tous les jours de la semaine sauf le mardi. Grasse matinée jusqu'à 7 heures pile. Le bonheur.

J'entends Padré râler, il a encore sous son lit les pancartes des premières manifs : « MILITEZ, RESTEZ COUCHÉS ! », « 6 HEURES 33, RENDORMEZ-VOUS ! » Elles prennent la poussière. « Comme nous », dit ma mère. Mon père finira par se lever, et nous le fera payer toute la journée.

Aujourd'hui, je fais ma rentrée. L'été a été dur pour la plupart d'entre nous. On a appris à vivre avec ces fous aux commandes. Ça a commencé dans les émeutes, les grands départs… Ceux qui avaient peur pour leur sécurité ont filé, coffres chargés et cœurs lourds. Ailleurs.

Les semaines qui ont suivi, le Parti a édicté une loi par jour. La première a consisté à dire que cette élection avait été la dernière. Maintenant, l'avis des gens, ils n'en ont plus besoin. Tout est décidé, planifié, ordonné. On a vite compris la vie qui allait avec ce nouveau parti : bien huilée, bien réglée, propre et nette, sans rien qui dépasse.

« Obéir vous rend libres. Prenez le Parti de la Liberté ! », tu parles. À chaque jour de la semaine correspond une couleur, un menu alimentaire, des activités autorisées… Le lundi, par exemple, on doit porter du jaune ocre (c'est la couleur de cheveux de la fille du Chef), manger un maximum de protéines et faire du vélo (les petites roues sont admises pour les moins de quatre ans). Alors que, le lendemain, c'est tenue bleu turquoise pour tous, laitages à gogo et promenade des animaux domestiques. Bref, on vit pareil, on mange pareil, on se lève tous à la même heure. Moi qui rêvais de ressembler à tout le monde, qui avais honte de ma famille un peu bizarre…

Je regrette l'époque où on nous regardait de travers dans le quartier, parce que ma mère était une drôle de fée aux cheveux « carotte » perchée sur des talons immenses, et mon père, le batteur d'un groupe de rock alternatif. Faut avouer : quand les Z'hurleurs répétaient dans le garage, ça mettait une chaude ambiance dans le quartier ! Maintenant que leurs répétitions sont interdites, ça me manque. On était la famille originale, des bruits couraient sur mes parents : fous échappés d'un asile, affreux terroristes recherchés par toutes les polices, magiciens aux vrais pouvoirs maléfiques…

Des rumeurs, quoi.

Je détestais mes parents pour ça ; je les admire maintenant pour les mêmes raisons.

— Lève-toi, Marcus ! Enfile ton uniforme. C'est l'heure ! me crie maman depuis la cuisine.

Je sens d'ici l'odeur des crêpes. Bon, des crêpes complètes, c'est obligatoire, mais des crêpes quand même… La radio diffuse un des seuls airs de jazz encore autorisés dans la Grande Liste.

À partir du mois d'août, on a eu droit aux Grandes Listes des Libertés. La liste des musiques du Parti, des livres du Parti, des films du Parti. Tout ce qui n'est pas dans une liste est interdit.

Vive la liberté.

Ce matin, c'est la rentrée et j'ai hâte. Hâte de revoir mes amis, ou ce qu'il en reste. J'ai su que la famille de Max a filé juste après les élections, Hector me l'a dit. Il va me manquer. Léonie aussi.

Ça, oui, Léonie aussi. Personne ne sait où elle est passée. Ni elle ni sa famille. J'ai voulu qu'on parte à leur recherche, qu'on enquête. J'ai eu des refus polis, personne n'a accepté : « trop dangereux », paraît-il. Les copains ont bien changé depuis les élections.

Padré éteint la radio d'un geste brutal.

— Ras-le-bol de cette musique ! Toujours la même chose, j'en peux plus. Albertine, j'en peux plus.

— Je sais, c'est affreux. Et encore, on a de la chance, on n'a pas de micros dans la maison pour une surveillance serrée ! Tu déposes Marcus à l'école et on rejoint les autres au Club. Ça te remontera le moral.

Il avale sa crêpe en silence. Ma mère a les larmes aux yeux. Maudit Parti qui fait pleurer ma mère et râler mon père. Maudit Chef.

Dans la voiture, je tente d'en apprendre plus sur

les activités de son club. Je crois que c'est politique, que c'est secret et anti-Parti. Mon père me répond :

— Vaut mieux rien savoir, pour ta sécurité.

Je tente un :

— Mais j'aimerais bien aider, moi. Me rendre utile.

— T'es trop jeune. Et tu dois penser à l'école, aux copains, à t'amuser. Fais comme les gosses de ton âge.

Il me regarde avec son petit air malicieux, l'œil en coin, et il prend sa grosse voix fâchée :

— Amuse-toi ! C'est un ordre !

Il est marrant, Padré, quand il veut.

On arrive devant les grilles du Collège Libre. On porte tous le même uniforme vert, mais il y a des nuances dans tout ce vert. Je fais un signe de loin à mon père, qui reste là, hébété, à me regarder. Ça doit faire drôle, de loin, cette marée verte. Il finit par démarrer. Je murmure « À ce soir »… J'ai toujours peur de ne pas le revoir.

Depuis trois mois, jour et nuit, on vit dans la peur.

Je comprends vite qu'on doit se ranger par couleur : vert kaki, vert canard, vert anis, vert amande, vert sapin… Personne ne sait pourquoi, j'entends des gens émettre des hypothèses : « On est rangés par religion », « Non, par âge », « Selon le métier de nos parents, ou leur richesse… » Tout le monde s'épie, s'observe de plus près, se juge. Super ambiance de retrouvailles.

Armand me tape dans le dos, il sourit, comme toujours :

— Hé, Marcus, ça roule ? T'as vu ces têtes qu'ils tirent tous. On se croirait à un enterrement, non ?

Il est de bonne humeur, ça me fait plaisir de le revoir… Il parle fort, comme s'il oubliait où on est, et ce qu'est devenue notre vie depuis cet été. En plus, il a gardé ses cheveux longs, retenus en queue de cheval. Super banni, ça, la queue de cheval pour les garçons. Autour de nous, c'est le silence. Tout le monde nous regarde.

— Ce moment de vie vous est offert par le Parti de la Liberté ! crie Armand, avant d'être embarqué par trois gros molosses à casquette, les Vigilants, ceux qui sont payés pour maintenir l'ordre.

Il continue à se marrer, porté comme ça par ces deux types, avec ses jambes qui moulinent. Personne ne semble trouver ça scandaleux, d'être embarqué pour rien, dans une cour de récré… Je tente d'aider Armand en courant derrière eux. Un autre Vigilant me saute dessus :

— Ne la ramène pas, si tu ne veux pas d'ennuis…

— L'ennui, depuis trois mois, j'en ai à revendre, à cause de votre Parti pourri.

Le gars me demande de rester poli, en m'insultant un peu au passage. Alors, je reste calme et je réponds :

— De l'ennui, j'en ai à revendre depuis trois mois, à cause de votre Parti pourri, cher Monsieur.

Malin. Maintenant, c'est moi qui vole, encadré par deux molosses énervés. Au moins, je vais retrouver Armand… Je pense à mes parents qui vont paniquer si je ne rentre pas à l'heure. Ma première journée au Collège Libre, je vais la passer enfermé et puni. Et dire que, le mercredi, c'est le seul jour où le rire est permis : ça part mal !

On se retrouve sur un banc, dans le couloir. On attend que le Directeur nous reçoive. C'est bizarre d'être ici, c'est les locaux de l'ancienne école. Ils ont repeint les murs aux couleurs du Parti, il y a une photo de la famille du Chef au-dessus de la porte. On reste à attendre, sans bruit. Même Armand a perdu sa voix et sa bonne humeur. La porte s'ouvre :

— Le Directeur peut vous recevoir. Entrez. »

On s'avance, et là, je reconnais le Directeur. C'est Darchant, le père d'Hector. Lui aussi, alors, il est passé « de l'autre côté »… Je m'assois, un peu sous le choc. Je suis souvent allé chez Hector, pour son anniversaire, un gars sympa. Je n'aurais jamais pensé que son père…

— Qui vous a demandé de vous asseoir, Marcus ?

— Personne, pardon.

Je l'ai dit. J'ai dit « pardon » à un pourri du Parti. Bientôt, on s'excusera de respirer le même air qu'eux. Maman a raison, on prend la poussière, comme les affiches de Padré sous son lit.

— Vous avez enfreint onze règles du Grand Livre de la Liberté. En une demi-heure.

Armand et moi, on accuse le coup, on savait même pas que ça existait, ce truc.

— Pour commencer, Monsieur Armand, vous n'avez pas la coupe de cheveux réglementaire, vos lacets sont défaits, vous avez délibérément insulté le Parti, dénigré ses membres actifs. Vous avez attiré l'attention sur vous en utilisant l'ironie, ce qui est proscrit. Vous et votre ami vous êtes débattus, un de nos Vigilants a même été légèrement commotionné au genou à cause de vos gestes brutaux. Monsieur Marcus, vous avez tenté de vous interposer pour gêner l'arrestation du fautif. Vous avez vous aussi insulté notre garde, en vous moquant. Le sourire en coin est interdit. C'est l'article 44 du Grand Livre. Sans compter vos allusions déplacées sur l'ennui. Vous serez donc punis, tous les deux. Vous passerez la journée dans La Chambre.

Une tirade pareille, ça décoiffe. J'hésite entre le

fou rire et la crise de nerfs. Armand regarde ses chaussures. On n'ose plus rien dire.

— Mais…

— Il n'y a pas de mais.

— C'est quoi cette « Chambre », exactement ?

— Une pièce réservée aux petits malins comme vous. Pour vous ôter l'envie de recommencer.

Là, je rigole moins. Les surprises, c'est pas mon truc. J'ai hâte de voir mes parents et de les prendre dans mes bras. J'ai peur.

— Tu rentres bien tard, Marcus. On s'est fait du souci ! Tu faisais quoi ?

Maman est fâchée. Ça ne plaisante pas. Avant, on était libres comme l'air, on n'avait pas d'horaires à respecter. Depuis cet été, elle s'inquiète au moindre retard. Je la comprends. Le Parti est partout, et on se retrouve vite au Poste.

— J'étais puni.

— Qu'est-ce que tu as fait ?

— Souri en coin… Entre autres.

— Tu blagues ?

— Non, j'ai pas envie de rire, même si c'est le jour où j'ai le droit, justement.

— Ils sont fous. On est tous en train de devenir fous. Ça va ?

— Oui, mais j'ai eu super peur. Heureusement, j'étais avec Armand. Ils nous ont collés dans un espace bizarre qu'ils appellent « La Chambre ». Enfermés dans le noir. Pas le droit de communiquer. J'ai flippé.

Ça va trop loin. On va en parler au Club. On ne peut plus continuer comme ça. En plus, je n'ai pas vu Léonie à l'école, ce matin. Ils ne sont donc pas revenus. Je me demande ce qu'elle est devenue.

— Ah, on a eu des infos sur elle, au Club.

— Rien de grave ?

— Apparemment, ça va. Ils sont loin, mais rien de grave. Ils sont partis dès les élections.

— Partis où ?

— En bateau. Ils font le tour du monde. Ils espèrent sans doute trouver un coin moins pourri qu'ici.

— Ça sera pas dur.

— Tu as raison, fils.

— Elle me manque, Léonie.

— Quelqu'un du Club m'a donné un moyen de les joindre. Une adresse mail. Tu pourras lui raconter la vie par ici.

— Ouaip.

Je prends le mail de Léonie. Je vais le faire. Avant l'été, je n'ai pas eu le courage de lui dire que… que je l'aime.

— OK, Maman, merci ! Je file, alors.

Je me retrouve dans ma chambre, avec des mots à écrire pour ma Léonie. Léonie en pleine mer. Elle a de la chance, elle peut rire quand elle veut, manger ce qu'elle veut. Et, sur son bateau, pas d'uniforme vert.

Deux semaines qu'on s'écrit, Léo et moi. Elle n'a pas répondu tout de suite à mon premier mail. J'ai eu le temps de m'inquiéter, de me dire : « Elle s'en fiche, de moi, elle a dû trouver mieux ailleurs, loin. » Finalement, un soir en rentrant du Collège Libre, j'avais sa réponse. Elle me raconte les tempêtes, les mers chaudes, les îles. Il paraît qu'on parle de nous partout. On fait la une des infos dans le monde entier. Les informations arrivent à circuler quand même, malgré la fermeture des frontières. Quelques journalistes étrangers ont réussi à passer dans le pays, et quelques dissidents (comme le Club de mes parents) racontent ce qui se passe par Internet, même s'ils risquent de lourdes peines de prison. C'est sans doute ça qui nous sauvera : le petit courage de chacun.

Elle dit qu'elle et sa famille ne comptent pas rentrer. Je les comprends, même si le savoir me colle un cafard d'enfer. Je trouverai d'autres solutions : j'irai la retrouver. Ou alors, on partira, nous aussi. Si j'insiste auprès de mes parents, ils craqueront peut-être. L'envie de prendre le large, je sais que ça les travaille depuis quelque temps.

Après ce qui s'est passé le jour de la rentrée, La Chambre et le reste, ma mère a fait sa petite enquête. Elle a eu des infos sur cette marée verdâtre à l'école. Il paraît qu'on est classés par niveau de « docilité ». Je ne sais pas exactement ce que ça veut dire. Padré dit qu'ils ont étudié la façon de vivre des parents, s'ils sont inscrits au Parti, s'ils collaborent ou pas. Ils ont regardé si on a eu des amendes pour non respect de leurs lois pourries. On a tous une note de docilité, paraît-il. La couleur de notre uniforme est la même pour tous ceux de la classe.

Je finis le mail pour Léonie, je lui explique tout ça, tout ce vert, toute cette merde :

« La folie, ces idées, non ? On dirait que, plus c'est gros, plus ça passe. Le pire, c'est qu'on n'a rien vu venir. Rien vu venir. »

J'hésite un peu, j'ajouterais bien un « Je pense fort à toi », ou un « Bisou à la plus jolie des filles ». Finalement, j'écris : « À plus ! » et je clique sur ENVOYER.

Maman pose les courses sur la table de la cuisine. Je l'aide à ranger.

— Padré n'est pas avec toi ?

— Il répète au garage.

— Quoi ?!

— Il répète… Le pauvre… il va craquer. Je ne le reconnais pas. Tout ça le mine vraiment. Va le voir, ça lui fera plaisir.

Dans le garage, je retrouve mon père avec deux de ses copains musiciens, le guitariste du groupe et le chanteur. Ils sont dans la même position qu'avant, sans le son. Je reste devant la porte. Mon père s'acharne sur la batterie, couverte de draps pour masquer les bruits. Le vieux Roger se donne à fond avec son micro, il crie sa rage, ses lèvres bougent mais rien ne sort, ou presque. Ben, le guitariste, s'active sur son instrument, comme en concert, mais sans musique. La guitare n'est pas branchée. La scène est pénible à observer, la répétition la plus triste du monde.

Mon père me voit et baisse les yeux. Il a honte, on dirait, honte d'en arriver à faire de la musique en silence.

— Entre, mon grand, entre.

Je m'approche de lui. Comme quand j'avais cinq ans, je m'assieds sur ses genoux. Il prend mes mains, j'attrape les baguettes et je deviens sa marionnette. Comme avant. C'était notre jeu, le batteur-robot. On joue un peu, sans rien dire. Ben et le vieux Roger nous regardent, un peu médusés. Je sens bien que ce n'est plus un jeu, tout à coup.

Padré s'arrête, il lâche mes mains. Je me lève et je file en dehors du garage.

Respirer. On a encore le droit, non ?

Samedi 29 septembre
Samedi ou la vie de sauvage

J e n'ai pas fermé l'œil de la nuit. J'ai essayé de lire *Un monde nouveau*, le livre écrit par le Chef. J'ai commencé par rayer au crayon les mots « interdit », « prohibé », « race inférieure » et tous ceux qui auraient pu nous concerner, ma famille et moi. J'ai rayé, écrasé la mine de mon crayon sur les pages, appuyant si fort que le crayon est passé à travers une page, puis deux ; j'ai fini par faire des trous dans tout le livre. Je ne sais même pas si une seule phrase a résisté à ma mine tueuse. Je pourrais avoir des ennuis pour cela. Ça m'est égal. J'ai refermé le livre.

« *Propriété de Quentin Ménoury, élève de l'École des Élites du Parti de la Liberté.* »

J'ai touché ce nom, et je l'ai rayé. Mon nom associé à cette école, à ce gouvernement. Inimaginable.

J'ai abandonné le livre éventré sur mon bureau et je suis descendu dans le salon. Mon épaule a frôlé un cadre photo dans l'escalier. Je l'ai redressé, et j'ai caressé les deux visages, qui sont tout pour moi : ceux de Bertrand et de Fred. Ceux de mes deux pères. La plupart du temps, j'appelle mes parents par leur prénom, mais il y a des moments où je lâche un « Papa » et, comme s'ils avaient un sixième sens, c'est toujours celui que j'appelle qui se retourne. Un sixième sens, c'est sûrement ce qu'ils auraient aimé avoir pour éviter cette catastrophe.

Je descends les marches une à une, en serrant fort la rambarde de l'escalier pour retenir le poids de mes pas. J'entends des voix dans le salon. Des ombres s'agitent, d'autres apparaissent et disparaissent aussi vite qu'une étoile filante.

— C'est pas possible !

— Attends, Bertrand, ne bouge pas ! Tu as vu l'état de ta bouche ?

— On va appeler Padré pour qu'il te recouse.

Bertrand est assis dans le canapé, Fred le regarde

comme s'il cherchait à lire dans ses pensées. Le faible reflet de la lune sur leurs visages laisse apparaître des traits tirés, des regards inquiets. Bertrand ne dit toujours rien, seules des larmes coulent le long de ses joues. La rage et la tristesse se mêlent dans son regard, ses pleurs amers doivent lui brûler la peau.

— Papa ?

Les deux se sont retournés.

— Papa, pourquoi tu saignes ? Qui t'a fait ça ?

Bertrand me prend la main et m'assied sur ses genoux. Il baisse les yeux comme s'il ne devait son état qu'à lui-même. Nous nous enfonçons dans notre canapé, nos corps semblent plus lourds que d'habitude.

Nous sommes deux larves inertes. Cela aurait pu ressembler à nos dimanches. Le cœur en moins. Ces nombreux dimanches où nous sommes les deux seuls levés dans la maison pendant que Fred continue de dormir. L'odeur du chocolat chaud et des tartines grillées nous réveille lentement. Une fois que tout est prêt, nous allons avec notre plateau nous asseoir sur le canapé. C'est sur ce canapé qu'il m'a raconté son premier entraînement de rugby, imposé par son père pour ne pas « qu'il devienne une lopette » (comble de l'ironie, c'est là qu'il a rencontré Fred), les cris, les pleurs avec leurs familles respectives. Les portes qui claquent, les amis qui s'en vont, les rêves qui se brisent et les regards qui vous jugent. Et puis, ma naissance, les premiers pas, les premiers jours d'école, les premiers bobos, les premiers dodos. Je me souviens qu'un matin, il m'a dit ces mots-là : « Mon paradis c'est vous, l'enfer, c'est les autres. » Je commence peu à peu à comprendre pourquoi cette phrase ne le quitte jamais.

Fred me sort de mes pensées, il pose sa main moite sur ma jambe :

— Comment s'est passée ta journée, mon grand ?

— Papa, il est six heures du matin, je viens tout juste de me réveiller ! Qu'est-ce qu'il se passe, à la fin ?

— J'aurais dû rentrer tout de suite après le boulot, c'est tout. Je n'ai pas respecté le règlement : « *Article 59 – Toute personne inférieure devra regagner son domicile directement après son travail et n'en sortir sous aucun prétexte.* » Tu sais, tous les vendredis, j'apportais un sachet de gourmandises à Lisel Miquelon, la grand-mère de ta copine qui est partie en voilier. Depuis leur départ, je ne peux pas m'empêcher de continuer d'en acheter, et je les déguste en pensant à elle. La boulangère m'a expliqué qu'elle n'avait pas eu le temps de préparer mon sachet, mais elle a quand même tenu à me donner quelques viennoiseries. En quittant la boulangerie, des hommes vêtus de noir m'ont interpellé :

« Eh ! Regardez qui voilà ! Monsieur Bertrand Ménoury en personne !

» — Écoutez, laissez-moi, je suis en retard, je finis mon travail, je rentre retrouver ma famille.

» — Ta famille ? Mais les gens comme toi n'ont pas de famille ! On ne parle pas de famille, pour des déchets, on parle de groupes de fous, à la rigueur, et encore, j'insulte les fous en disant ça.

» — Laissez-moi, je vous dis, je ne veux pas de problème.

» — Regardez-le, le rigolo, il ne veut pas de problème ! Ha, ha ! T'es un problème à toi tout seul, espèce de tordu ! On va te montrer ce que tu mérites. »

Bertrand a longtemps gardé les yeux fermés. Pas besoin qu'il nous raconte ce qu'il s'est passé ensuite : les bleus de son visage parlent pour lui. Nous restons là, tous les trois, des frissons nous traversent le corps mais nos mains serrées nous réchauffent et nous rassurent.

Bam ! Bam ! Bam ! Trois coups résonnent à la porte d'entrée.

— Vite, file te cacher, Quentin ! me chuchote Fred.

Je rejoins rapidement le placard, sous l'escalier. La tête collée au balai, je serre les dents pour retenir mes éternuements. J'ai laissé la porte entrebâillée. Je devine deux grandes ombres devant l'entrée. Un bras se lève et Bertrand s'effondre. J'étouffe mes cris en me mordant la langue et je sens mes yeux rougir. Fred, lui, n'oppose pas de résistance. Je sais qu'il m'a vu. Il fait un « trois » avec ses doigts ; je sais ce que cela veut dire. Puis plus rien. Le silence s'installe dans la maison. J'ouvre la porte du placard d'un coup de pied et retrouve le salon vide. Les genoux à terre, la tête dans les bras, j'aimerais pleurer mais je n'y arrive pas.

On n'a rien vu venir.

Très vite, je cours récupérer mon sac. Je tire sur la bretelle de mon vieil Eastpack. Je plonge ma main à l'intérieur et retrouve la clef des Nogent, je revois Morgane courir vers moi dans l'entrée et m'embrasser la joue avec sa bouche collante. Tous les jeudis soir, je la gardais pendant que Simon et ses parents allaient voir le pédopsychiatre. Depuis l'accident, Simon n'est plus le même. Si jamais mes pères ne reviennent pas, je serai comme Simon, amputé d'un membre. Je continuerai d'avancer, mais en claudiquant.

Cela a beau faire des semaines que je n'ai pas vu Simon et sa famille, je ne peux m'empêcher de penser à eux. Auparavant, passer des heures à jouer avec les poupées de Morgane me semblait être un supplice ; aujourd'hui, je vendrais ma collection entière de figurines Star Wars pour revivre ces moments-là. Simon, mon meilleur ami, qu'es-tu devenu ? Où es-tu ? Je suis sûr que tu n'es pas loin de moi, je le sens. Tout le long de mes jambes, je le sens. Jusqu'au bout de mes doigts, je le sais.

Stop ! Il faut que j'arrête de penser à tout ça ! Mon sac est prêt. J'attrape mon lecteur MP3 et mets les écouteurs sur mes oreilles. Je vais devoir courir, aussi vite que pendant mes courses d'athlé. La musique commence à m'entraîner.

PLAY :

« *Southern trees bear a strange fruit. Blood on the leaves and blood at the root. Black body swinging in the Southern breeze. Strange fruit hanging from the poplar trees.* »[1]

Je pars en courant de la maison, je ne prends même pas le temps de la regarder, comme si j'avais la conviction que j'y reviendrai un jour. Avec Bertrand et Fred. Je remarque juste une chose, quelqu'un a tagué trois mots sur le portail : « SALES PAUVRES

DÉGÉNÉRÉS. » Pour moi, c'est une fierté ; pour eux, une honte, un affront. Ils peuvent me le tatouer au fer rouge sur la cuisse : je n'en serai pas moins fier, d'avoir deux pères qui s'aiment.

Je remonte la rue ; toutes les maisons semblent endormies, les volets sont clos, les lumières éteintes. Sur les portails d'autres maisons, je remarque d'autres insultes, la même peinture fraîche.

Une moto approche au loin, je saute dans un buisson en déchirant mon sweat qui m'a coûté six mois d'argent de poche ! Je reconnais cette grosse cylindrée, je l'ai vu garée devant le collège. C'est celle de Monsieur Hutin, le professeur de musique ! Autour de son bras, un ruban violet, comme celui que l'on donne aux personnes qui assistent aux réunions secrètes. Un homme vient à sa rencontre. Monsieur Hutin sort de sa poche un papier soigneusement plié. Il commence alors à réciter à voix haute une liste de noms, avec des petits commentaires bien à lui.

— Monsieur Gérard ? Sa femme est d'origine malgache. Madame Lenôtre ? Elle n'a pas respecté le couvre-feu de jeudi dernier. Monsieur Ferrand ? Son fils souffre d'autisme…

J'ai peur de comprendre… Monsieur Hutin est une balance : il dénonce. Famille, amis, tout le monde y passe, ou y passera. (La liste est longue, tous les noms me disent vaguement quelque chose.) Face à lui, l'homme prend des notes. Longtemps, Monsieur Hutin continue de parler... À la fin de sa liste, il bute sur un nom. Comme si un éclair de bonne conscience le traversait, il hésite lorsqu'il voit « Simon Nogent ». La bouche pâteuse, il laisse échapper l'identité de sa dernière victime.

L'homme en imperméable noir tourne les talons :
— Très bien ! Merci, Monsieur Hutin. La pêche va être bonne ! Grâce à vous, ce soir, tous ces gens dormiront au Camp de Rétention !

L'homme part, un sourire satisfait aux lèvres. Il se voit déjà amener fièrement ces dizaines de familles au Grand Chef. Ce dernier le félicitera et le nommera au sein du Haut Commissariat des Citoyens Vigilants en lui accrochant une jolie médaille, la Récompense des Justes. Pour lui, aucun doute, il a fait le bon choix.

Je n'en reviens pas ! Le prof de musique échange des noms contre une petite liasse de billets ! Et, comme si de rien n'était, il remet son casque et repart, à l'affût de nouvelles proies à sacrifier. Pourquoi en veut-il autant à Simon ? Sûrement parce que lui et moi prenions un malin plaisir à faire des bêtises lors de ses cours. Ce que l'on a pu rire, la fois où l'on a mis du liquide vaisselle dans les flûtes à bec et de la glu sur les touches du piano ! Et ce qui nous a fait encore plus marrer, c'est quand il nous a dit : « Si ça vous amuse tant que ça, d'enduire de glu mon piano, je vous mets quatre heures de colle ! »

On était partis dans un fou rire…

Il savait que nous étions deux à faire les quatre cents coups, mais Simon était son bouc émissaire. Et, un jour, il aurait sa revanche. Ce jour semble arriver à grands pas.

Il faut que je retrouve Simon. Je traverse le champ du vieux Gaspard ; ses vaches ruminent, d'autres dorment. Je reprends mon souffle, appuyé contre un lampadaire. Une affiche a été collée, je l'arrache et la froisse dans ma poche. J'aimerais bien être une des bêtes du vieux Gaspard : manger de l'herbe, me coucher, et attendre que tout cela passe.

Pas le temps de penser à ma réincarnation bovine, j'arrive au carrefour de Beauséjour, je m'engage à droite, direction « La Pommeraye », quand, soudain, des phares m'éblouissent. La voiture freine brusquement, une portière s'ouvre et le conducteur sort en courant. Aveuglé par la lumière, je ne vois qu'une silhouette noire se diriger vers moi :

— Laissez-moi ! Laissez-moi ! Je n'ai rien fait ! Je rentre chez moi !

— Tais-toi, Quentin ! Tu vas ameuter tout le quartier. Monte dans la voiture, dépêche-toi !

La boulangère me pousse à l'arrière de son break et me lance un sourire :

— Baisse-toi, mon grand. Il ne faut pas se faire remarquer.

J'obéis et m'allonge aux pieds de ses enfants. Elle redémarre, direction loin, très loin. Je raconte l'arrestation de mes parents, ma course dans la ville, la moto.

— Je cherche Simon ! Il n'est plus en sécurité ici !

— Je sais, me répond-t-elle. Mais ne t'inquiète pas, à l'heure qu'il est, il est hors de danger.

Je ne lui demande même pas comment elle peut en être si sûre, j'ai envie de la croire. Le volant dans une main, elle étend une couverture sur moi avec l'autre. Je sens sa paume humide me caresser la joue.

— Tu dois avoir froid, chuchote-t-elle.

Je n'ai même pas pris le temps d'enfiler un manteau en quittant la maison. Et même si elle sent le chien mouillé, la couverture me réchauffe. Je me sens en sécurité avec elle. Peu à peu, je m'endors, laissant échapper de ma main une boule de papier froissé. J'avais presque oublié ce torchon.

Je presse la photo de mes pères contre mon cœur, malgré ce qui y est écrit : « Ces deux hommes sont condamnés à une rééducation morale sévère pour acte contre nature ».

L'enfer ne fait que commencer.

Dimanche 7 octobre
Une dernière chanson

C'est bizarre, comme certaines choses banales peuvent prendre une signification particulière. Tenez : le mardi, par exemple. Avant, c'était un jour comme les autres. D'abord la mine renfrognée de la chauffeuse de bus, puis le regard à moitié éteint du pion à l'entrée du collège et, enfin, le défilé des profs et leurs baratins plus ou moins soporifiques, servis par tranches exactes de 55 minutes.

Bon, d'accord, le mardi, peut-être que c'était un jour un peu moins désespérant que les autres, parce que c'était la veille du mercredi. Et aussi parce que, le soir, j'allais à la chorale.

Je sais, ça a l'air naze, comme ça. Mais je m'en fous, je le dis quand même : j'adorais la chorale. Je chantais sans penser à rien et je me sentais libéré.

Libéré du gouffre laissé par la mort de ma mère, de l'automate aux yeux vides qu'est devenu mon père. Chanter à plusieurs, des vieux ou des jeunes, des moches ou des beaux, des noirs, des blancs, des cons ou pas… Chanter à en perdre le souffle, sans se soucier du regard des autres, c'était ma soupape.

Avant.

Je dis « avant », car, maintenant, à la chorale, je n'y vais plus. Ni moi, ni personne d'autre, d'ailleurs. Elle n'existe plus. Allez, hop, dissoute, la chorale. « Subversive », c'est le mot qu'ils ont employé.

Et maintenant, le mardi, c'est le jour du Grand Repos. Le jour qu'on est censés apprécier. Enfin, « Grand Repos », c'est relatif, parce que la grasse matinée n'est autorisée que jusqu'à 7 heures, soit 27 misérables minutes de plus que les autres jours de la semaine. Les Vigilants ont installé des caméras – les Yeux – dans les familles dites « sensibles » pour vérifier qu'elles respectent bien les consignes. Et puis, même au cas où on aurait trouvé le moyen de les gruger sur l'oreiller, les sirènes hurlent dans les rues, à 7 heures pile. Chaque matin, c'est la même chose : on se réveille avec la sensation qu'on vous plante des aiguilles dans le crâne. *Welcome* dans le monde merveilleux du Parti de la Liberté. Je suis sûr que le monde entier nous l'envie.

Mais, parmi tout ce qui a changé, je crois que c'est ça qui me gêne le plus : ne plus pouvoir chanter. Ah ! non, attendez, j'exagère : en fait, on a le droit. Mais sans dépasser 60 décibels et en respectant la liste des chants autorisés. Alors, fredonner des petites ritournelles débiles devant un sonomètre, non merci. J'ai essayé de chanter dans ma tête, mais ça n'est pas pareil. Et puis… j'ai peur qu'ils m'entendent. Qu'ils aient mis au point un appareil qui leur permette de nous surveiller, même à l'intérieur de nous. Et que les Vigilants viennent me chercher, pour « pensées non autorisées ». Est-ce que je deviens fou, d'imaginer ça ?

Si j'avais su que ça virerait comme ça, ces élections, je me serais tiré à l'autre bout de la planète avec les Miquelon. Au milieu de l'océan, ils ne peuvent pas mettre de sirènes ni de caméras. Enfin, je crois.

Les Sirènes du Réveil font trembler les murs. Je regarde frénétiquement ma montre, posée bien à plat sur la table de nuit. Elle indique encore 7 heures pile. Ouf, malgré moi, je ne peux m'empêcher de soupirer de soulagement. Depuis que le

Parti est au pouvoir, je vis dans une angoisse de culpabilité permanente.

Peur de ne pas m'être réveillé à l'heure.

Peur d'avoir mangé un truc non autorisé.

Peur de m'être trompé dans la couleur des uniformes.

Peur de trop, ou de ne pas assez respirer.

Peur de ne pas marcher droit.

Comment on va faire pour continuer, au milieu de tout ça ? J'en ai ras le bol, de toutes ces lois, de toutes ces règles à respecter. J'ai envie de déchirer cet atroce uniforme vert et de remettre mes anciennes fringues. J'ai envie de jouer au foot devant la maison. De manger une pizza dégoulinante de fromage et d'autres délicieux hydrates de carbone formellement interdits par le nouveau Ministère de l'Hygiène Physique et Mentale.

Je n'ai déjà plus ma mère, bordel, ça suffit pas ? Et, par-dessus tout, j'ai envie de chanter. À m'en faire exploser les poumons et ces conneries de sonomètres.

Je descends les escaliers. En marchant lentement, puisqu'il est interdit de les dévaler en courant, rapport à la Sécu : « *Soyez prudents ! En évitant les accidents, vous réduisez les dépenses de soins inutiles. Si chacun est responsable, c'est la société tout entière qui y gagne !* », ils

disent à la radio, d'une voix toute guillerette, genre
« comme-c'est-beau-la-vie ! »

Tu vas voir : bientôt, on sera obligés de porter un
casque 24 heures sur 24. Et on aura oublié comment
ça fait de monter sur un vélo ou une trottinette.

Comme d'habitude, papa est à la cuisine devant
la fenêtre, à regarder dans le vague le souvenir de
maman. J'esquisse un bonjour machinal, par réflexe,
mais je sais que ça ne sert à rien, il ne m'entend pas.

J'en peux plus. Je ne peux pas faire revenir ma
mère, mais, pour le reste, je peux faire quelque
chose. À mon niveau à moi. De toute façon, même
si les Vigilants viennent m'arrêter, j'ai rien à perdre.
J'ai déjà l'impression d'être en grève de la vie.

Alors, je sais ce que je vais faire. Je vais recréer la
chorale. Je vais la remettre sur pied, trouver un local
bien planqué, contacter les autres… Enfin, pas tous.
La vieille Popontus, le pharmacien Monsieur Gra-
pin, Maroussia Sanchez, la mère de Walid, la belle
Alix, Léontine et Eléonore, et puis, peut-être aussi
Monsieur Allen. Mais je n'appellerai pas la mère
d'Hector, elle m'a toujours paru un peu louche. Elle
ne s'est jamais mise à côté de la mère de Walid pour
chanter. Comme si elle puait ou qu'elle avait une
maladie contagieuse. Et puis, son regard, son regard
quand je mettais mon jean rouge.

Quoi, un garçon ne peut pas porter un jean rouge ? En fait, ça ne m'étonnerait qu'à moitié, qu'elle en soit. Du Parti.

Maintenant que ma décision est prise, je me sens étrangement serein. Je prépare mon petit-déjeuner en pensant à tout ce que j'ai à faire pour mener à bien cette idée. Pour un peu, ça me ferait presque oublier qu'aujourd'hui, le petit-déj' autorisé, c'est une galette de son d'avoine, et que, ça, ça m'enthousiasme autant que de valser avec un poulet crevé.

Madame Popontus revient avec deux tasses de thé réchauffé. Elle me dit qu'elle ne jette rien, à cause de sa retraite minuscule, et que, s'il reste du thé, ben, tu vois, je ne le gaspille pas. J'ai envie de dire qu'avec le Parti, ça ne va pas s'arranger. Les vieux, ils ne sont pas en odeur de sainteté. Comme les homos, les gros, les roux, les bigleux, les chevelus, les artistes, les écolos et tous les autres qui ont le tort de dépasser un peu. Les handicapés, c'est pire, il paraît qu'ils les parquent dans des espèces de centres « adaptés à la mesure de leurs capacités ». Je pense à Simon Nogent, et mes oreilles bourdonnent. Quand il s'agit de quelqu'un qu'on connaît en vrai, ça prend une tout autre tournure qu'un nom de catégorie sur un papier.

Comment on en est arrivé là ? On n'a rien vu venir… Simon Nogent, ils ne sont quand même pas venus le chercher ?

Chez Madame Popontus, c'est tout petit et ça sent le renfermé, mais c'est chaleureux. Et puis, il n'y a pas d'Œil. Elle m'a désigné un canapé en velours qui m'a englouti dès que j'ai posé les fesses dessus. Elle dispose délicatement les tasses sur le napperon blanc de la petite table et s'assied en face de moi. Elle sourit en lissant sa robe à fleurs.

— Alors, Sacha, qu'est-ce qui t'amène ?

Je plante mon regard dans le sien, un regard qui se veut convaincant, comme je l'ai fait tout à l'heure avec Monsieur Lampion. Mais j'espère qu'elle ne va pas, comme lui, me lancer un air paniqué en me disant de vite, vite, me taire et m'en aller. Je respire un bon coup et je me lance :

— Je veux qu'on recrée la chorale.

J'attends sa réaction, le cœur battant. Au lieu de répondre, elle prend quelques gorgées de thé, repose sa tasse sur le napperon immaculé puis chasse une poussière invisible de sa robe. En fait, je suis sûr qu'elle va refuser. Toute proprette dans son intérieur lustré, elle n'a pas vraiment le physique du rebelle-né. On dirait plutôt une petite mamie-poupée. Je m'apprête à me lever. Je n'aurais pas dû venir.

— Je crois que j'adorerais, Sacha.

Sa petite voix flûtée me cloue sur place. Ma surprise doit se voir comme le nez au milieu de la figure parce qu'elle se penche vers moi en chuchotant :

— Toute ma vie, j'ai été dans le rang. Je suis restée à la maison pour élever les gamins en abandonnant mes rêves d'adolescente. J'ai obéi à mon mari sans jamais protester. Je n'ai jamais rien dit, même quand c'était avec d'autres femmes qu'il passait ses soirées. Alors, je crois que, maintenant, j'ai le droit de m'opposer. De faire quelque chose qui vient de moi, d'exister ! Alors, oui, Sacha, tu peux compter sur moi. Je viendrai chanter.

Elle marque une pause, elle a l'air à la fois fatiguée et étonnée du torrent de mots dont elle vient de se soulager. Dans ses yeux, on dirait qu'une lumière s'est allumée.

— Des airs interdits, et bien au-delà de 60 décibels !

J'ai envie de la serrer dans mes bras. Même si elle a quatre-vingts ans et qu'elle sent la naphtaline à plein nez.

Elle reprend sa tasse de thé et avale une autre gorgée.

— As-tu déjà contacté les autres ?

Je lui raconte la réaction de Monsieur Lampion. Elle soupire :

— On ne peut pas blâmer ceux qui ont peur. On peut comprendre.

Je hoche la tête en trempant mes lèvres dans le thé. Il est opaque et tiède. Ma mère détesterait. Mais, curieusement, à ce moment précis, sous le regard du cerf en faïence posé sur la cheminée, ça ne me semble pas si mauvais.

— Si tu veux, j'en parlerai à Monsieur Allen. Je le connais bien, nous jouions souvent aux cartes ensemble, quand c'était encore autorisé.

Je m'enveloppe dans son sourire comme dans un manteau.

— Je suis sûre qu'il sera enthousiasmé par ton idée.

Finalement, nous serons quatre. Madame Popontus, Monsieur Allen, Alix et moi. Mais, après tout, si les autres ont refusé, cela ne veut pas dire que personne d'autre ne nous rejoindra. La mère de Walid, elle n'a pas vraiment dit non, mais elle a trop peur des représailles… Ils sont dans le collimateur à cause des foutus nuanciers. Le moindre faux pas et toute la famille pourra prendre ses cliques et ses claques. Mais elle sera toujours la bienvenue ! Ça me fait penser à ce qui est écrit dans mon livre d'histoire.

Pourtant, le chapitre se finissait par « plus jamais ça ». Ça avait l'air si évident.

Notre chorale sera ouverte à tous ceux qui n'ont pas peur de « faire ce qui leur chante ». La formule est de Monsieur Allen, qui a ri de sa blague pendant une demi-heure. Au moins, les dernières lois vomies par le Parti ne lui ont pas plombé sa bonne humeur.

Le plus difficile a été de trouver un endroit sûr. On n'est pas fous, non plus. Le but, c'est quand même de chanter, pas de se faire arrêter pour le seul principe de résister. Je n'ai pas du tout envie de savoir ce qui se passe quand on se fait embarquer par les Vigilants. Il y a des rumeurs qui courent à ce sujet et… ça fait froid dans le dos.

C'est Alix qui a proposé un local. Ses parents sont un peu spéciaux. Le genre ermite, à ne côtoyer personne et à vivre en autosubsistance, sans chaussures, avec des chèvres et tout. Ma mère disait en riant que vivre sans vernis à ongles, passe encore, mais que laver tout le linge à la main et les toilettes sèches au bout du jardin, c'est quand même un peu sport.

Depuis les élections, Alix explique que, chez elle, tout a changé. Le Ministère de la Droiture a tout fait raser et les Vigilants lui ont installé un Œil dans le salon. Il n'y a plus de bacs pour récupérer l'eau, plus de chèvres, plus de potager, plus de compost ou de ruches. Et pas question de se trimballer pieds nus,

« on n'est pas des sauvages », comme ils disent.

Mais il y a une chose qu'ils n'ont pas eue, les nervis du Parti. Au fond du jardin de la maison d'Alix, il y a une trappe, planquée derrière la haie, aujourd'hui taillée au millimètre près.

Tout à l'heure, elle m'a emmené voir. Au cas où ils pourraient lire sur les lèvres, on a baratiné devant la caméra du salon. Elle a dit :

— Tu viens, je pense que nous devrions sortir pour faire notre Préparation Physique et Corporelle.

J'ai hoché la tête et on est sortis dans le jardin. On a entamé le programme imposé par le Ministère de l'Hygiène Physique et Mentale – de la course à petites foulées avec des moulinets des poignets (c'est ridicule) – et on s'est dirigés vers le fond du jardin. De là, on est passés derrière la haie, et on a couru jusqu'à la trappe. Alix l'a ouverte et m'a fait signe de descendre.

Soudain, j'ai eu peur. Après tout, est-ce que je pouvais vraiment avoir confiance en elle ? Qu'est-ce qui m'assurait que ce n'était pas un piège ? La dernière trouvaille du Parti, c'est la Récompense des Justes. Ça veut dire que, si vous ramenez quelqu'un qui ose essayer de tenter d'imaginer comploter contre le Parti, vous êtes récompensé. Le Haut Commissariat des Citoyens Vigilants vous inscrit sur une Liste

Spéciale et on vous donne une jolie médaille que vous pouvez accrocher à votre veste, si vous n'avez pas honte d'être une balance. C'te classe.

Maintenant que j'y pense, je crois bien que le père d'Hector en a une, de ces merdailles.

Alix a dû sentir ma crainte. Elle m'a regardé dans les yeux et a murmuré :

— Fais-moi confiance.

J'ai regardé le trou béant et je me suis laissé happer par l'obscurité.

Alix referme la trappe. Je m'arrête au milieu des escaliers. Tout est noir et je n'ose plus bouger. Puis, enfin, la lumière se fait. Une ampoule nue vacille en contrebas. Alix me pousse gentiment à continuer ma descente.

Je n'en crois pas mes yeux. La pièce est immense. Elle doit couvrir la superficie du jardin. Le sol est en terre battue, mais tout est aménagé. Il y a une énorme pierre qui fait office de table basse, quelques coussins tressés disposés autour. J'avise trois fauteuils dépareillés et avachis, un évier et une gazinière, un réfrigérateur qui n'attend qu'un branchement pour reprendre du service. Des livres, par centaines. Et, sur un pan de mur, des immenses rayonnages recouverts de provisions diverses. Des bocaux de verre remplis de tomates, de courgettes, de poires ou de haricots verts, vestiges colorés d'un potager qu'on avait fait grandir avec amour et patience, et à la place duquel poussent aujourd'hui les trois pauvres centimètres de gazon réglementaire.

Je dois avoir la tête d'un geek à qui on vient de promettre un poste chez Google parce qu'Alix se met à rire. Ça fait comme des clochettes qui résonnent.

— Spés, mes vieux, mais prévoyants, non ?

Je ne sais pas quoi dire, alors je me mets à rire avec elle. Ça fait du bien, je me demande depuis quand ça ne m'est pas arrivé.

— Mais… quand est-ce qu'ils ont construit ça ?

Alix secoue la tête :

— Ce n'est pas eux. L'abri existait quand ils ont acheté la maison. Ils ne l'ont découvert que quelques années après, même l'agence immobilière ne le savait pas. Alors, ils l'ont aménagé. Sans savoir vraiment pourquoi. Juste au cas où, je crois.

— C'est… dingue !

Je n'en reviens pas. C'est comme si j'avais découvert un trésor. Si jamais on m'avait dit qu'un vieil abri rempli de légumes bouillis me ferait cet effet-là, ça m'aurait bien fait marrer.

— Et… on peut l'utiliser pour la chorale ?

— Je veux, oui ! Sinon, pourquoi tu crois que je t'ai fait descendre dans ce trou à rat ?

— Alix, c'est… c'est juste ce qu'il nous fallait. Merci.

— Pas besoin de me remercier. Je le fais aussi pour moi, tu sais.

Elle baisse la tête :

— J'aime bien chanter. Et je ne sais pas quoi faire d'autre pour tenter de rester vivante. Même si c'est juste une chorale, même si ce ne sont que des chansons. Ça montre qu'on n'a pas tout laissé tomber. Qu'on ne veut pas oublier comment c'était, avant.

Ses paroles me donnent envie de pleurer, mais aussi l'impression d'avoir avalé une immense bouffée d'air frais. Je gonfle mes poumons :

— On essaie ?

Elle fronce les sourcils :

— Quoi ?

— Ben, de chanter !

Elle me fixe quelques secondes sans rien dire, avant de m'éclabousser de son sourire solaire.

— On chante quoi ?

Je n'ai même pas besoin de réfléchir. D'entre mes lèvres, les deux syllabes s'échappent :

— *Majid*[2].

Si Majid s'en va, c'était la chanson préférée de ma mère. Et je crois qu'elle serait fière de voir que je n'ai pas oublié que, « résister », c'était l'un de ses mots préférés.

Si Majid s'en va

J'peux enfin m'prendre du repos j'ai dégoté l'soleil
S'i's'couche sur une bière, c'est la mer
S'il est pas fou c'est une merveille
Qui met l'cafard en état de guerre
Sûr c'est pas du pôle Nord son sourire brûlant
Son voyage n'est que d'ici
On le croit d'ailleurs c'est marrant
Lui qui pensait n'avoir qu'une vie
Imagine
Si Majid s'en va
Et nos rêves
Qui donc les boira ?

On a tout regardé mon grand frère sans papier
On a rêvé tous les mélanges
Je n'aurais jamais parié
Qu'un jour on t'dirait qu'tu déranges
Voici l'heure ma grande gueule
De faire taire ton honneur
Toi qui portais la tête haute
T'apprendras tes chaussures par cœur
Les flics du métro savent ta faute

Imagine
Si Majid s'en va
Et nos rêves
Qui donc les boira ?

Paraît qu'y en a qui veulent charteriser Kaddour
Qu'on veut virer notre prince arabe
Qu'on orphelinise donc sa cour
Qu'on le perde dans un panier d'crabes
Et nos larmes amères couleront le pays
On n'a pas le cœur en mappemonde
Qui peut prétendre trier nos vies
Affûte les armes de la fronde
Imagine
Si Majid s'en va
Et nos rêves
Qui donc les boira ?

Épilogue

Hier, en rentrant, maman m'a dit que des actions seraient menées. Ça doit rester un secret, pour l'instant. Le Club va s'arranger pour prévenir les gens, discrètement. Il va y avoir des manifestations, des parades dans la ville. Ils ont décidé de faire ça avec humour, en détournant les interdictions. On s'y rendra habillés de toutes les couleurs, on va rire et jouer de la musique à fond, lacets défaits. Des « manifestations de vie normale », a dit maman. La vie normale d'avant. La vie qui nous manque.

Il s'est passé pas mal de choses pendant ces dernières semaines. Les mails de Léo, et la montée de la révolte des Clubs. En fait, celui de mes parents a fait tache d'huile. Dans tous les quartiers, les gens se sont mis à en créer aussi, sur le même modèle. Des réunions secrètes, de l'aide aux gens qui sont dans le besoin, des enquêtes menées en douce quand on n'a plus de nouvelles de quelqu'un. Les Clubs ont fini par fusionner. Il a fallu faire de plus en plus attention. Les rencontres avaient lieu dans des endroits cachés jusqu'au dernier moment.

Une vraie ambiance d'espionnage. On se serait crus dans un film.

Demain, c'est le grand jour. On tente la dernière chance, mettre quasiment le Parti par terre, prendre le pouvoir. Un coup d'État, mais sans violence. Une manif géante, tous les Clubs se retrouvent sur la grand-place de la Ville.

J'ai peur, on a tous peur, mais, en même temps, pire que maintenant, c'est difficilement imaginable. Surtout depuis l'arrestation des pères de Quentin.

Padré dit qu'on doit tout tenter. Alors, on va tout tenter.

Ce soir, on prépare les instruments des Z'hurleurs. Ils vont enfin pouvoir servir, en tête de cortège, des musiciens partout, de la musique et des rires.

La liberté des grands jours.

Je suis au milieu de la Place, je ne sais pas comment ça s'est passé. J'étais avec papa et son groupe, Armand et les copains de ma classe kaki. On chantait à tue-tête, j'avais mis une perruque, et on tapait sur des casseroles comme des fous. Tout à coup, il y a eu un mouvement de foule, je me suis laissé embarquer. Là, je suis entouré de gens que je ne connais pas. C'est difficile de dire, mais j'ai l'impression qu'on est des milliers de millions, ou pas loin. Un succès.

Je regarde partout, je cherche un visage connu, je vois des gens que je croise au Collège. Des gens qui se taisent dans la cour, par trouille, et qui, aujourd'hui, se sont habillés comme pour Mardi Gras, qui crient :

— Liberté, reviens ! Ils t'ont volé ton nom !

Je vois Amhed, et Pascal, le gars qui tient la superette. Étienne, Marc, Gérard, et puis Fatiha, Cloute et Doris, d'anciens collègues de ma mère. Quentin est là, un peu en retrait, sur le trottoir. On dirait qu'il veut entrer dans la danse, sans oser. Finalement, je suis pas si perdu. Dans la foule, il y a des tas de gens que je connais. On se sourit, on se fait des petits clins d'œil complices, genre « t'es là, toi aussi ? » ou « on les aura ! ». Et on fait un max de bruit. Je vois Sacha : il a ressorti son pantalon rouge, et il chante sur le côté avec la vieille Popontus ! Samia et Walid sont là, eux aussi, on se croirait à un mariage ! Tout de blanc vêtus, de la tête aux pieds.

En passant, Walid me lance :

— T'as vu, du beau blanc pur, bien de chez nous ! Ils nous auront pas !

Je n'ai pas le temps de lui répondre, il est déjà loin dans la foule. Je souris bêtement à ce qu'il vient de me dire. Sourire bêtement, ça fait du bien.

Aux fenêtres, quelques drapeaux bruns et rouges flottent, des gens osent sortir leur tête pour crier leur haine de nous. « Dégagez ! La vermine, dehors ! », ou des horreurs comme ça. En passant devant l'immeuble d'Hector, je lève la tête. Ses parents scrutent la rue derrière le rideau. Triste ambiance. Je marche, ou je flotte, je ne sais plus, avec la foule. Je sens une main qui m'attrape par le bras. Un type caché derrière un vieux masque de superman :

— T'as pas vu Wawa ? Je veux marcher avec lui.

— Hector, c'est toi ? Ouais, tu viens de le manquer, il est devant, tout en blanc.

— Merci, Marcus. Je vais essayer de le retrouver, alors.

Il s'éloigne.

— Hector ?

— Ouais ? Quoi ?

— C'est bien, ce que tu fais ! C'est bien de pas rester caché derrière les rideaux. Comme d'autres… Allez, fonce !

Aujourd'hui, c'est nous qui décidons, pour changer. On a rédigé notre Grande Liste, nous aussi, à la peinture arc-en-ciel sur des grands draps. Chacun d'entre nous pouvait écrire un mot. Le truc qui nous manque le plus depuis les élections.

Amour, Liberté, Fou Rire, Couscous, Michael Jackson, La Chorale, Apéro, Fête, Diabolomenthe en terrasse, Cirque, Pizza, Folie, Léonie.

C'est moi qui ai écrit « Léonie ». Je me dis : « Si elle voit ça aux infos, ça la touchera au cœur. Là où je veux l'atteindre. Ça tombe bien ! »

Juste après, j'ai ajouté le message que Simon m'a demandé d'écrire pour lui : « Premiers pas. »

Tout un symbole.

La preuve qu'un truc est en marche, non ?

Je ne sais pas ce qui se passera demain, si on va gagner, reprendre le pouvoir. Si le Parti va intervenir avec violence, comme ils l'ont dit sur la Chaîne Unique : « Toute action menée contre le Parti sera réprimée par la force. »

Je ne sais pas si, demain, on se lèvera heureux,

notre maquillage coulant sur nos joues, en se disant : « On l'a fait ! On les a eus ! »

Peut-être que leur vengeance sera terrible et que les semaines à venir seront celles des arrestations, des brimades et des humiliations.

On verra.

Je suis au milieu de tout ça, j'ai la tête qui tourne, je vois de la couleur partout, j'entends des gens qui rient et qui chantent. Quentin m'a rejoint, on marche ensemble.

Je ne sais pas ce qui se passera demain, mais j'avance avec les autres.

Notes :

[1] Extrait de *Strange Fruit*, chanson de Billie Holiday.

[2] Chanson de Loïc Lantoine.

Pour travailler en classe :

Téléchargez gratuitement nos fiches pédagogiques sur notre site web :
https://www.alice-editions.be/collection/poche/
Elles ont été réalisées en collaboration avec des enseignants afin d'accompagner la lecture des élèves et de proposer des outils pédagogiques adaptés aux programmes.